中国 国家地理 ⑨
百科全书
NATIONAL GEOGRAPHY

张妙弟⊙主编

陕西、甘肃、青海、宁夏

北京联合出版公司
Beijing United Publishing Co.,Ltd.

图书在版编目（CIP）数据

中国国家地理百科全书.陕西、甘肃、青海、宁夏 /
张妙弟主编.—北京:北京联合出版公司,2016.6(2019.4 重印)

ISBN 978-7-5502-7547-8

Ⅰ.①中… Ⅱ.①张… Ⅲ.①地理－陕西省－通俗读物
②地理－甘肃省－通俗读物③地理－青海省－通俗读物
④地理－宁夏－通俗读物 Ⅳ.① K92-49

中国版本图书馆 CIP 数据核字（2016）第 078395 号

中国国家地理百科全书

陕西、甘肃、青海、宁夏

主　　编：张妙弟
选题策划：巨眼图书
责任编辑：李　征
文图编辑：樊文龙
封面设计：罗　雷
版式设计：何冬宁
图片提供：视觉中国 北京全景视觉图片有限公司

北京联合出版公司出版
（北京市西城区德外大街83号楼9层 100088）
天津市光明印务有限公司　新华书店经销
字数1500千字　787毫米×1092毫米　1 / 16　100印张
2016年6月第1版　2019年4月第6次印刷
ISBN 978-7-5502-7547-8
定价：199.00元（全10册）

我们的祖国是人类文明的重要发源地之一。在这片神奇伟大的土地上，山河壮美，历史悠久，文化灿烂，自然资源极为丰富。从冰雪覆盖的喜马拉雅、莽莽昆仑，到波澜壮阔的深海大洋，从朔风凛冽的茫茫大漠、蓝天白云的万里草原，到锦绣江南的水乡雅韵、奇美幽邃的山川大泽，国土民风、环境资源、经济文化都各具特色，共同构成了中国的自然与人文景观。

我们所处的多样而美丽的地理环境是中华民族赖以生存和发展的基础。祖国的繁荣昌盛要靠具有高水平文化素质的全体人民的共同努力，只有如此，国家才能更加文明进步，中华民族的复兴大业才能早日实现。地理教育同其他教育一样是国民素质教育的重要组成部分，它能使接受教育的国民基本掌握中国乃至世界的地理与风土人情的知识，牢牢建立自然资源有限性与合理利用和环境保护的意识。20世纪以来，随着科学技术的迅猛发展，地理学已逐渐发展成为一门运用现代科学技术手段，具有跨越自然科学和社会科学性质，在当前的大学科体系中占有重要地位的科学。因此，《中国国家地理百科全书》的编辑出版，目的在于为全面提升全民族的文化素质提供一部兼具科学性和趣味性的好书，满足广大读者的需要。

《中国国家地理百科全书》一书系统详细地介绍了中国各地区地形、气候、水文、自然资源以及行政区划、人口、民族、历史、文化等方方面面的知识，并配以2000多幅精美的图片，直观形象地再现了中国的地理状况、经济状况和文化民族状况，融知识性、实用性以及形象性、趣味性于一体。书中对各地具有代表性的风景名胜、文化遗产和文化遗迹等作了重点介绍，使广大读者在读书之时，亦能感受到祖国大好河山的幽幽古韵和文化情怀。

陕西省

行政区划

陕西省是中国西北地区工农业和交通较发达省区，简称陕或秦。因位于陕原（今河南陕县）之西而得名。位于中国中部，东濒黄河。介于东经105°29′～111°15′、北纬31°42′～39°35′之间。东与山西省、河南省毗连，南与湖北省、重庆市、四川省为邻，西与甘肃省、宁夏回族自治区接壤，北邻内蒙古自治区。面积20.58万平方千米。辖10个地级市，1个示范区，29个市辖区，5个县级市，72个县。省会西安市。

陕西省行政区划简表

行政区	面积（平方千米）	下辖行政区
西安市	10108	新城区、碑林区、莲湖区、灞桥区、未央区、雁塔区、阎良区、临潼区、长安区、高陵区、鄠邑区、蓝田县、周至县
宝鸡市	18117	渭滨区、金台区、陈仓区、凤翔县、岐山县、扶风县、眉县、陇县、千阳县、麟游县、凤县、太白县
咸阳市	10246	秦都区、渭城区、兴平市、彬州市、三原县、泾阳县、武功县、乾县、礼泉县、永寿县、长武县、旬邑县、淳化县
渭南市	13134	临渭区、华州区、韩城市、华阴市、蒲城县、富平县、潼关县、大荔县、合阳县、澄城县、白水县
铜川市	3882	耀州区、王益区、印台区、宜君县
延安市	36712	宝塔区、安塞区、延长县、延川县、子长县、志丹县、吴起县、甘泉县、富县、洛川县、宜川县、黄龙县、黄陵县

榆林市	43578	榆阳区、横山区、神木市、府谷县、靖边县、定边县、绥德县、米脂县、佳县、吴堡县、清涧县、子洲县
安康市	23391	汉滨区、旬阳县、石泉县、平利县、汉阴县、宁陕县、紫阳县、岚皋县、镇坪县、白河县
汉中市	27246	汉台区、南郑区、城固县、洋县、西乡县、勉县、宁强县、略阳县、镇巴县、留坝县、佛坪县
商洛市	19851	商州区、洛南县、丹凤县、商南县、山阳县、镇安县、柞水县
杨凌示范区	135	杨陵区

●西安古城墙和城楼

西安城墙现有城门18座。从永宁门开始顺时针依次为：永宁门、朱雀门、勿幕门、含光门、安定门、玉祥门、尚武门、安远门、尚德门、解放门、尚俭门、尚勤门、朝阳门、中山门、长乐门、建国门、和平门、文昌门。而这18座城门的形成也是各不相同。除了原有的4座城门，其余14座后来新开的城门，有的是在被战火打开的城墙豁口上重建的，有的是在唐皇城城门遗址旁新修的，有的是为了纪念伟大人物新修的，也有的是纯粹为了交通方便而新修的。细数这些城门的名称来历，也可以从侧面了解到中华民族的沉浮往事。

☑ 西安市

　　西安古称长安，陕西省省会，中国历史文化名城之一，曾有十余个朝代相继在这里建都。西安是"丝绸之路"的起点，是自古以来中国与世界各国进行经济、文化交流的重要城市，现在的西安是中国西北地区最大城市和经济、文化、交通中心。全市辖10区3县，面积10108平方千米，常住人口961.67万（2017）。市境地处"八百里秦川"的中心，气候温和，半湿润，年降水量580毫米。西安是华北、华东联系西北、西南陆空交通的重要枢纽。此外，西安的地上地下都保存和埋藏着众多的文物古迹和奇珍异宝，堪称一座"立体历史博物馆"。市区拥有骊山、华山、翠华天池等风景名胜。西安已成为驰名内外的旅游名城。

☑ 延安市

延安是中国历史悠久的古城和现代革命圣地，陕北经济、文化和交通中心，位于省境北部。面积36712平方千米，常住人口226.31万（2017）。从秦汉至唐宋，延安及其附近地区"东带黄河、西控灵夏"，为陕北的交通要冲。20世纪50年代以来，延安工业、农业、交通、运输业发展较迅速，工业有电力、机械、化肥、

●延安宝塔山

宝塔建于唐代，高44米，共九层，登上塔顶，全城风貌可尽收眼底。它是历史名城延安的标志，是革命圣地的象征，是延安市的标志性建筑。

●西安钟楼

西安钟楼，建于明洪武十七年（1384），是中国古代遗留下来众多钟楼中形制最大、保存最完整的一座。如今这座古色古香的钟楼处在西安市中心城内东西南北四条大街的交汇处，与四面穿梭的车流以及夜幕下的霓虹灯融合无间，古典与现代如此完美地交相辉映。

汽车修配、纺织等。农业作物以小麦、玉米为主。以延安为中心的公路干线南通西安，北达包头，东连太原，西接银川。民航班机直达北京、西安、太原、榆林等地。1958年建立的延安大学为陕北地区的最高学府。延安不但革命旧址多，而且还有轩辕黄帝陵、凤凰山等重点文物保护单位。此外民间艺术剪纸、腰鼓等也很有特色。

☑ 宝鸡市

宝鸡是陕西新型工贸城市，位于省境西部，面积18117平方千米，常住人口378.1万（2017），辖3区9县。周在此建都，秦统一中国后，属内史地，西汉时隶右扶风，三国晋时为扶风郡。1971年设宝鸡市。全市地势西、南、北三面环山，中、东部低而平坦，为关中平原西端。目前宝鸡市的工业有机械、电子、食品、冶金、纺织、建材、化工、有色金属等门类，石油设备和钛材产量居中国首位，而且还有丰富的金矿资源。宝鸡市还是中国历史名人和古文物荟萃之地。

● 咸阳茂陵博物馆

茂陵博物馆位于陕西省咸阳与兴平之间的五陵塬上，距西安约40千米，是一座以汉武帝茂陵、霍去病墓及大型石刻群而蜚声海内外的西汉断代史博物馆。现有文物陈列室2座，汉武帝故事造像艺术展一座，石刻廊房6座。总占地面积121486平方米术之瑰宝。以气魄恢宏、风格豪迈闻名遐迩。

● 宝鸡石鼓阁

石鼓文为先秦时石刻作品，唐初发现于古陈仓石鼓山，故又名陈仓石鼓或陈仓猎碣，陈仓石鼓阁因此而得名，其北临渭水，南依秦岭，高56.9米，阁顶距滨河路相对高度110米，建筑面积7200平方米，仿秦汉建筑风格，采用外五内九的层级设置，气势雄伟，喻示着周秦文明在中华民族史上九五之尊的崇高地位，堪称西北第一阁，是宝鸡市地标性建筑。

人口、民族 ✈

陕西省常住人口3835.44万（2017）。人口密度每平方千米183人左右，高于全国平均密度。人口分布不均，陕北较低，约70人；关中平原最高，约322人，尤其是东起渭南，西至武功，北抵铜川的三角地区竟高达500人以上，为全省人口最稠密地区；陕南秦岭、大巴山区平均约119人，但汉江谷地平坝区人口密度高达350人左右。在全省总人口中，汉族人口约占总人口的99.51%，分布遍及省境；少数民族人口约占0.49%，仅有15.56万人左右，其中回族18.49万人，其余为满、蒙古、壮、藏等民族，主要分布在西安、宝鸡、安康、汉中和咸阳等地。

◉西安西羊市

西羊市街东临北院门，西临北广济街，东西长400多米。它是西安城内一条传统的历史古街，具有600多年历史，元朝时即已形成，最早叫羊市，以进行羊只和羊肉交易为主。目前西羊市已经形成了东段旅游服务商业，西段原住居民、清真生活区的格局。居民以回族居民为主，有着浓郁的伊斯兰文化传统。

历史文化

　　陕西是中华文明的发祥地之一，境内有距今115万年的蓝田猿人头颅骨化石、距今18万年至20万年的大荔智人化石和距今4万年至5万年的河套人遗址。仰韶文化、龙山文化遗址在这里分布非常丰富。中华民族的始祖炎帝、黄帝的族居地和陵寝都位于陕西，其中黄帝陵是中华民族敬仰的圣地。从公元前11世纪开始，先后有15个王朝在陕西建都，为陕西留下了丰富的文物古迹，有气势恢宏的帝王陵墓，有规模宏大的古城垣和宫殿遗址，有保存完整的古建筑。陕西还是中国革命的摇篮，中国共产党曾在延安10年，领导中国人民进行抗日战争和解放战争，留下了许多宝贵的革命遗迹，成为中国爱国主义教育基地之一。

☑ 蓝田人

　　蓝田人遗址位于今天的陕西省蓝田县公王岭和陈家窝一带，约80万年至75万年前，有一些在低平的前额上隆起粗壮眉脊骨的原始人类生息活动。他们打制的石器外形又粗又大，但已经有不同类型石器分工的迹象。这就是蓝田人。他们的化石于1963年至1965年在当地更新世早期地层中被发现。考古研究表明，蓝田人比稍后的北京人大脑容量较小一些，大约778毫升。但他们已经是完全的直立人，而且是已发现的亚洲北部最早的直立人。直立行走，这是猿成为人的重要标志。

◎蓝田猿人头骨化石

●**半坡遗址人面鱼纹彩陶盆**

1955年出土于半坡遗址的人面鱼纹彩陶盆，盆高16.5厘米，口径39.5厘米，底部略平，腹部突出，内壁和口唇绘有对称的人面纹和鱼纹。此盆的出土，说明当时的制陶技术已经达到了相当高的水平，也反映了原始人民丰富的想象力和绘画艺术水平。

☑ 半坡遗址

约前5000年至前4300年，仰韶文化发源于黄河中游，今陕西西安东郊灞桥区浐河东岸半坡村北。其半坡类型以西安半坡遗址的早期遗存为代表。现发现40余座建筑遗址。据推测，这些或圆或方的建筑，可能是母系氏族成年妇女过配偶生活的住房。半坡类型的工具用石、骨、角、陶制成，有开垦耕地、砍劈用的石斧、石锛、石铲，收割禾穗的石刀、陶刀，加工谷物的石碾、石磨盘、石磨棒等。生产以农业为主，发现粟的遗存。饲养的主要家畜是猪、狗、鸡和黄牛。渔猎经济仍占重要地位，出土许多石、骨镞和石网坠，还有些带倒钩的鱼叉、鱼钩以及石矛。有一种制成颗粒状麻面的陶锉，可能是鞣制皮革的工具。陶器以粗质和细泥的红色、红褐色陶为主，最常见的是粗砂陶罐、小口尖底瓶和钵所组成的一套生活常用器。在圆底钵口沿的宽带纹上，发现有22种不同的刻划符号，有人认为是中国古代文字的渊源之一。半坡遗址的发现和发掘，对原始社会母系氏族公社的婚姻、生产、生活习俗的研究提供了宝贵资料。1958年，在原址上建成了古朴壮观的半坡博物馆。

☑ 丰镐遗址

　　丰镐遗址位于西安市长安区马王街道、斗门街道一带的沣河两岸，为西周都城遗址。城址范围待考。丰镐是西周文王所建丰京和武王所建镐京的合称，丰在河西，镐在河东。周王朝在此建都约300年，周平王东迁后废弃。丰京遗址在客省庄、马王村和新旺村一带，发现有大建筑群遗址，且发现有一套完整的地下排水管道。中心区为最大的夯土基址，坐北向南，东西长61.5米，南北最大进深35.5米，总面积1826.8平方米。镐京遗址在斗门镇花园村、普渡村至落水村、眉坞岭一带的高冈地带。发现有大型宫室遗址，平面呈"工"字形，中央主体建筑南北长59米，东西宽23米，南北还有规模相当的对称分布的两组附属建筑群。还发现数以百计的西周墓葬。1957年，在张家坡发现殉葬车马坑，共4座。其中保存较完整的一座内部有驾四马作战用的戎车和驾二马乘坐用的辂车各一辆，戎车驾马全部以青铜作饰，辂车驾马大部用海贝填饰，工艺考究，造型精美。遗址中还发现有许多窖藏，出土器具100余件，其铭文记载了周王朝的一些史实。这里的发现不仅具有极高的艺术价值，而且对探讨西周的社会经济结构以及当

●丰镐遗址出土的西周父癸尊
此尊为侈口，长颈，微鼓腹，高圈足。三道扉棱依颈、腹、足分为三段。通体以云雷纹为地，主题纹饰分为三组：颈部为蕉叶形蝉纹，下横蚕纹一周；腹部为兽面纹两组，圈足亦饰兽面纹两组。底部有铭"父癸"二字。此尊形体近乎筒形，纹饰繁密，远远脱离了商代早期那种高颈、广肩、大腹的形制，是典型的西周早期青铜器。

时的生产生活情况具有极高的学术
价值。西周丰镐二京的城墙、布
局以及附近的西周王陵有待
于进一步研究。

☑ 秦始皇开创帝制

　　始皇二十六年（前
221），秦将王贲攻陷齐
国，至此，秦统一了六国，
建立了中国历史上第一个
统一的多民族的专
制主义中央集权
的封建王朝，为封

○秦始皇雕像

建社会经济发展奠定了稳定的政治基础。秦王嬴政改称始皇帝，定都咸阳，开创了帝制。秦始皇接受了李斯的建议，把中国分成36郡，中央集权的制度从此确立。秦始皇以战国时期秦国官制为基础，建成一套适应统一国家需要的新的政府机构，即三公九卿制及郡县制。在这个机构中，中央设丞相、太尉、御史大夫，丞相、太尉、御史大夫以下，是分掌具体政务的诸卿；地方行政机构分郡、县两级，郡设守、尉、监、县，万户以上者设令，万户以下者设长。这样，从中央到地方就形成了一个严密的统治网络。

☑ 汉长安城

汉长安城遗址在今陕西西安市西北渭河南岸。汉高祖五年（前202）置长安县，在秦兴乐宫基础上建长乐宫，七年又建未央宫，自栎阳迁都于此，后经惠帝、武帝陆续修建而成。平面近于正方形，经纬相等，城垣系黄土夯筑，基部宽12米～16米，高约12米，周长25700米，外有壕沟，宽8米，深3米。面积约36平方千米。12个城门

◉汉长安城遗址之未央宫前殿遗址
前殿是未央宫的主体建筑，位于宫城中央，是形制最高，规模最庞大的建筑，在台基之上发掘出新石器时代仰韶文化墓葬，说明前殿台基在新石器时代已存在。

平均分布在四面，东有宣平、清明、霸城，南有覆盘、安门、西安，西有章城、宣城、雍门，北有横门、厨城、洛城，门各3个道，宽6米，可容4辆车并行，与文献说的"三涂洞开""方轨十二"相符。内有8条大街，相互交叉，街宽约45米，其间有两条排水沟，将全街分为平行3道，中间一道宽20米，是专供皇帝行走的驰道。城东南有长乐宫，西南有未央宫，两宫之间有武库。桂宫、北宫在未央宫北，明光宫在长乐宫北。建章宫在西城墙外，与未央宫隔墙相对，宫北有太液池。各宫室占全城面积二分之一以上。居民大多在城北部，靠近宣平门，有闾里一百六十。城西北横门大街两侧有九市，

三市在街东，称东市；六市在街西，称西市。南郊有王莽时所建明堂、辟雍、灵台、九庙等，均按照儒家礼制和阴阳五行学说设计。上林苑在城南，内有离宫别馆数十处，周围二百余里。城西有武帝时开凿的昆明池，面积约十平方千米。汉长安城形制、布局，基本上与《周礼·考工记》的规制相符。

☑ 唐长安城

　　唐代都城。位于西安市区及其近郊。由宫城、皇城、外郭城组成。宫城在城内北部中央，为皇帝及皇族的居所。皇城紧附宫城之南，是政府机关驻地。外郭城从东、西、南三面拱卫宫城与皇城，系一般居民和官僚住宅区、商业区。全城平面布局整齐划一，以宫城的承天门、皇城的朱雀门和外郭城的明德门为南北中轴线（承天门大街、朱雀大街），东西对称布局。东市、

●大明宫宣政殿遗址

宣政殿位于含元殿以北约三百米，为皇帝每月朔望临朝听政之所，称为"中朝"。殿基东西长70米，南北宽40多米。殿前左右分别有中书省、门下省和弘文馆、史馆、御史台馆等官署。在殿前130米处，有三门并列的宣政门，左右是横贯式的宫墙，墙、殿之间形成较大的院庭。

西市分别在皇城东南和西南，是全城经济活动中心。纵横排列的街道把所有居民区划为110坊，每坊均有专名，如修真、安定、颁政、归义、曲池等。城内宫殿由西内太极宫、东内大明宫和南内兴庆宫三大宫殿群组成。太极宫在宫城内，坐落在承天门大街中轴线北端，原是隋代的大兴宫，有16座大殿和许多楼阁亭榭。正殿太极殿是举行"中朝"之所，其北边的两仪殿是皇帝接见大臣的"内朝"所在。大明宫在京城北墙外侧龙首塬上，有含元、宣政、紫辰三大殿，分别为举行"外朝""中朝"和"内朝"的地方。兴庆宫在兴庆坊，开元二年（714）兴建，为玄宗起居听政的正式宫殿。城中寺观达150余所，为全国之冠。慈恩寺中的大雁塔和荐福寺中的小雁塔保留至今。含元殿、麟德殿等遗址今仍可辨认。该城在唐代后期因战乱逐步遭到破坏，唐末废毁。

◎碑林

☑ 西安碑林

西安碑林位于西安市三学街，北宋元祐二年（1087）设立，原为保存唐开成年间镌刻的《十三经》而建，后不断增添，至今已收藏历代碑碣2300余方。其中，有唐刻《周易》《尚书》《诗经》《春秋左氏传》等大型"石质书库"《开成石经》；"大秦景教流行中国碑""中尼合文之陀罗尼经幢"和"唐大智三藏碑"等；有汉至清各代各流派名家手书碑刻等，俨然一座古代书法艺术的巨大宝库。

☑ 司马迁

司马迁（约前145—？）字子长，夏阳（今陕西韩城南）人。西汉史学家、文学家。从19岁开始游历大江南北，考察社会民情，采集传说故事，精通天文历法。司马迁初任郎中，元封三年（前108）继承父职，任太史令。太初元年（前104）与唐都、落下闳等对历法进行改革，并

◎司马迁祠

司马迁祠位于陕西省韩城市南10千米芝川镇东南的山冈上，东西长555米，南北宽229米，面积4.5万平方米。它东临黄河，西枕梁山，芝水萦回墓前，开势之雄，景物之胜，为韩城诸名胜之冠。

制定了太初历。公元前99年因对李陵军败降匈奴事有所辩解，得罪了皇帝，被治罪下狱，处以腐刑。出狱后任中书令，并发愤继续完成所著史书，终于完成了著名的传世之作《太史公书》，即后来的《史记》。该书是中国最早的通史，开创了中国纪传体史书的形式。

☑ 张骞

张骞（？—前114）汉中成固（今陕西城固县）人，西汉外文家。官大行，建元二年（前139），汉武帝为联合大月氏共同打击匈奴，派张骞出使西域。张骞在出陇西经过匈奴时，被俘，在匈奴10余年，娶妻生子，但却始终秉持汉节。元朔三年（前126），他回到了阔别13年的长安。元狩四年（前119）又奉命出使乌孙，并派副使出使大宛、康居、大夏、安息等地。他是第一个从中原出使西域的人，打通了古代中西交通著名的"丝绸之路"。西汉能够通西域，由张骞创立首功。他两次出使西域，加强了中原和西域少数民族的联系，进一步发展了汉朝与中亚各地人民的友好关系，促进了中国与西域经济文化的交流和发展。张骞死后被封为"博望侯"，葬于成固。

张骞墓

张骞墓位于张骞纪念馆中，位于汉江北岸，距城固县约3千米。墓地坐北朝南，东西宽15米，南北长15米，高8米，夯筑封土，呈覆斗形，平面呈长方形。整个墓地占地12亩，古柏荫翳，浓郁苍翠，庄严肃穆。墓地门前有一对由座杆、斗三部分组成的石造华表一对，用料考究，精雕细琢，八棱方斗，镂空镌花。墓地正面是阙式门楼，典型的汉代建筑风格：重檐飞角，格局大方。

地貌

　　陕西省地势南北高、中间低。北部是深厚黄土层覆盖的陕北黄土高原；中部是渭、泾、洛等河流下游冲击形成的关中平原；南部为构造上升运动强烈的陕南山地。自然条件复杂多样，南北殊异。全省从南向北依次可分为陕南山地、关中平原、陕北黄土高原3个地貌单元。平原多河水，自然、经济条件较优越；陕北黄土高原多风沙地貌，但滩地地下水丰富，埋藏浅，夏季水草丰富；陕南山地中盆地多，耕地集中，是全省主要的粮食产区。

☑ 陕南山地

　　秦岭、大巴山山地合称陕南山地，主要包括介于两山之间的汉江谷地，是由古老的变质岩和花岗岩为主的褶皱断块掀升作用形成的冲高山地。秦岭呈东西走向，北坡陡峻，南坡平缓，多深切山谷，是中国南北方的天然分界线。大巴山位于陕西省最南部，呈西北、东南走向，是陕西和四川的天然分界线。山地山势较和缓，多浑圆状成平梁山丘。秦岭、巴山之间形成两个盆地；一是勉县至洋县间的汉中盆地；一个是以安康为中心，包括汉江、月河两岸平地的安康盆地，东西长约100千米、南北宽3千米～5千米。这两个盆地，气候温和，雨量充足，农业较发达，是陕西重要的稻谷产区。

☑ 关中平原

关中平原又名渭河平原或关中盆地，位于陕西省中部，介于秦岭和渭北北山之间，海拔约325米～800米，东西长360千米，南北宽度不一。渭河自西向东横贯平原中部，两岸地势不对称，有明显的阶地和黄土台塬。渭河干流及支流灌溉平原的良田，关中平原是中国历史上农业最富庶的地区之一。目前该区也是中国工、农业和文化发达地区之一，是中国重要的麦棉产区。

☑ 陕北黄土高原

陕北黄土高原地质结构上属鄂尔多斯地台，位于北灵山、药王山和黄龙山一线以北，地势西北高、东南低，多数地区覆盖了深厚的黄土。其厚度一般在50米～150米之间，是中国黄土高原的中心部分，经长期流水冲刷和其他外力的剥蚀作用，发育成塬、墚、峁、沟壑等多种地貌，是中国水土流失最严重地区。长城沿线以

●黄土台塬

塬是黄土堆积受流水侵蚀残留的高原面，地表平坦，坡度1度～3度，如泾河上游的董志塬、洛河的洛川塬等。塬面被沟谷强烈侵蚀后称为破碎塬。在大的地堑断陷谷地里，断裂往往呈复式阶梯状。覆盖其上的黄土塬称为黄土台塬。黄土台塬通常保存较完整，如汾渭断陷谷地里的黄土台塬。墚在平面上呈长条形，顶部宽度不大，多数仅长几十米到数百米至数千米，面积约2平方千米。

○黄土高原

陕北黄土高原地势西北高、东南低，多数地区覆盖有浓厚风成黄土，厚约几十米至百余米。经长期流水冲刷和其他外营力的剥蚀作用，发育成塬、梁、峁、沟壑等多种地貌，是中国水土流失最严重地区。

北属风沙地形，属毛乌素沙漠；沙漠以南是塬、梁、峁、沟壑地形，其中延安以北以峁为主，延安、延长、延川县以梁为主；延安以南以塬为主。滩地地下水丰富，埋藏浅，夏季水草丰盛，成为点缀于沙区中的绿洲。

☑ 秦岭

　　中国中部东西走向的古老的褶皱断层山脉。是中国重要的南北地理分界线，渭河、淮河、汉江、嘉陵江等水系的分水岭。广义的秦岭西起甘肃、青海两省边境，东到河南省中部，包括西倾山、岷山、迭山、终南山、华山、崤山、嵩山、伏牛山等。狭义的秦岭指陕西省境内一段，其主峰为太白山，海拔3767米。秦岭（以下指狭义秦岭）北麓有大断层分布，所形成的断层崖十分明显。稍大的溪涧有72条，通称"秦岭七十二峪"，在峪口外有由洪水冲积物冲积而成的山麓洪积扇。由于受北仰南俯断块构造的影响，分水脊偏北，北坡短而陡峭，河床比降在15‰～40‰；南坡是断续近东西向的山岭，最多可至9条，山间有众多盆地组成"盆地山岭"。南坡坡面长而倾斜和缓，河床比降在10‰以下。秦岭主峰太白山高山寒冻风化作用强烈。由于古冰川作用，乱石流、冰斗群、冰川槽谷、刃脊、角峰等都有分布。太白山附近的财神岭、兴隆岭、父子岭等，海拔在

3000米左右，岭岭相连，构成秦岭高大山体的部分。宝鸡以南的秦岭分为3支：北支大散岭；中支凤岭，其间夹有双石铺、凤州、安河、平水和靖口等构造盆地；南支是紫柏山。西安以南的秦岭通称"终南山"，较高山岭有苜阳山、四方台、东光秃山、平和梁等。秦岭东段呈手指状分开，太华山呈北东东向，以险峻闻名的西岳华山，五峰林立，山势挺拔；蟒岭和流岭呈西西北向，北坡陡短、南坡缓长；鹘岭呈近东西向。介于这些山岭之间有洛南、山阳、漫川关、富水等红色盆地，丹江及其支流银花河和南洛河等穿行其间，形成冲积小平原。区内年均温大部分在10℃～14℃，最冷1月均温1℃～2℃，最热月7月均温20摄℃～26摄℃，无霜期200天左右。年降水量700毫米～900毫米，夏秋雨量丰沛，约占全年降水的70%～80%。气候垂直分带性较为明显。山地棕壤广泛分布，质地黏重，腐殖质层较厚，呈弱酸性反应，表土层湿度较大，略带淋溶现象。天然森林、次

● 秦岭北坡秋色

秦岭是中国南北的分界线。此外，秦岭以其屏障作用，还是暖温带半湿润气候区与亚热带季风性湿润气候区的重要分界；在水文上，它还是黄河流域与长江流域的分水岭。

生林和灌木草本保存较完好，森林覆盖率达47%。林下灌木及草本种类繁多。林内野生动物也很多，是大熊猫、羚牛、金丝猴等稀有、珍贵动物的产区。

☑ 太白山

太白山为秦岭主峰，位于陕西省眉县南部，兼跨太白县、周至县部分地区。顶峰冰冻期长，除盛夏外，积雪不消。由关中平原南望，山顶银光闪闪，故名。太白山是以巨大的花岗岩体为核心的断块山，形成于1亿年以前的燕山运动时期。花岗岩节理发育，断层错综，多孤峰插天的花岗片麻岩柱峰。海拔3767米的顶峰八仙台，为黑云母花岗岩和黑云母片麻岩构成的锥

●太白山八仙台
八仙台是太白山最高巅，从下向上望去，峰顶庙宇凌空，锷刺蓝天，李白有"举手可近月"之形象比喻。然而攀上去，却另是一番景象，台面开阔平坦，向西直通跑马梁，站上拔仙台极目远眺，果真是"会当凌绝顶，一览众山小"。

状山峰。南北两坡有串珠状冰斗湖，最大者为大爷海，海拔3590米，面积近5000平方米，呈椭圆形。太白山为中国华北、华中和西南地区植物品种荟萃之地，资源丰富，垂直分带明显。现已成为自然地理、植物、动物、中药、环境保护等多种学科野外考察的重要基地。"太白积雪"被列为"关中八景"之一，"斗母（宫）奇峰""平安（寺）云海"为著名胜迹。

水系

陕西全省河流分属黄河、长江两大水系。前者流域面积约占全省总面积的64.5%，后者占35.5%。黄河干流中段纵贯陕、晋边境，大部为峡谷，水流湍急。至龙门断层，形成瀑布急流，与龙门以下的坦荡缓流形成鲜明对照。潼关附近，干流呈90°转向东流。黄河中游段的主要支流多流经黄土高原，河水含沙量大，年均输入黄河泥沙量达7.9亿吨，占黄河平均输沙量的一半，是流入黄河泥沙最多的省份。汉江为长江最大支流，流经汉中盆地，穿过黄金峡和凤凰山与大巴山之间的基岩山地，进入安康盆地，向东蜿蜒于丘陵低山区，至白河县东流入湖北省。汉江及其支流流经秦巴山区，宽谷与峡谷交替出现，有多处优良坝址。

☑ 汉江

汉江为长江最长支流，又称汉水或襄河。汉江源自陕西省汉中宁强县嶓冢山。干流经陕、鄂两省，于武汉汇入长江，全长1577千米。汉江流域属北亚热带季风气候，水量丰富，钟祥碾盘山站年

◎汉江风光

均径流量539亿立方米。汉江径流主要来自降雨，年内最大与最小月径流量之比，一般达10倍以上，个别大水年可达25倍。汉江是中国中部重要航道，但是各种吨级的船舶，特别是高吨位级的船舶受季节的影响较大。1949年后，制定了汉江综合治理规划，全面整修堤防，修建杜家台分洪

工程（1956），现已建成多座水电站，充分开发了汉江的水力资源，并且修建了许多水库，灌溉事业也有很大发展。汉江已成为长江流域开发利用最高的大支流。

☑ 渭河

渭河是黄河最大支流。渭河干流发源于甘肃省渭源县鸟鼠山南的壑山，河长818千米，渭河流域西起鸟鼠山，东至潼关，北界白于山，南止秦岭。流域面积13.5万平方千米，分属陕、甘、宁三省区。整个流域中山区占29%，植被尚好，水土流失轻微；黄土丘陵区占40%，沟壑纵横，植被稀少，水土流失严重；关中平原为黄土沉积和河流冲积平原，占31%，是陕西省的粮、棉基地。渭河水量主要来自南岸支流，沙量则主要来自北岸支流。近年来，由于环境和气候变化，加之两岸取水增加，渭河出现了断流现象。西安、宝鸡、天水是渭河流域中的重要工业城市。陇海铁路沿渭河河谷横贯东西，沟通中国沿海与大西北。渭河流域还是中国古文化发祥地之一，这里有蓝田猿人遗址、半坡遗址、华山、华清池等著名的历史古迹和风景区。

● 渭河夕照

渭河在陕西境内长502千米，年径流量84亿立方米，年输沙量5.5亿吨，是黄河洪水和泥沙的主要来源之一。支流水系受秦岭和祁、吕、贺山地构造体系控制，呈不对称分布。支流南北不对称，北岸支流少，源远流长；南岸支流多而短促。流域面积大于1平方千米的支流有葫芦河、泾河、北洛河。图右上方为蜿蜒向东的渭河。

气候

　　陕西省位于中国内陆中纬度地区，受季风气候和大陆性气候的影响都较明显。由南至北具有北亚热带湿润气候、暖温带半湿润气候和暖温带、温带半干旱气候的特征。秦岭山脉横亘省境中南部，南北气候差异显著。年均气温陕北黄土高原约为9℃，关中平原13℃，陕南汉江谷地则达15℃。冬季南北温差10℃，夏季温差仅4℃。年降水量由南向北递减，山区则由下而上递增。7月～9月降水量常占全年一半以上，且多暴雨，易引起山洪暴发和水土流失。冬季降雨甚少，甚至出现连旱，对陕北黄土高原春播影响更甚。

●太白积雪

自然资源

陕西省地处中国大西北、秦岭山地之中，是华北、华中和青藏高原三大植物区系与古北界和东洋界动物区系的交汇区，具有明显的过渡性和复杂性。由于特殊的地理位置和地质变化，省内的自然资源丰富，种类繁多，矿产中煤、钼、铜、重晶石、磷等储量在中国居于前列。动植物种类也异常丰富，野生动植物种类繁多，其中杜仲、麻黄、金丝猴、羚牛最为著名。此外，在太白山区栖息有朱鹮、黑鹳等珍稀鸟类，还辟有太白山自然保护区和佛坪自然保护区等。

☑ 陕西钼矿

陕西省钼矿资源丰富，主要分布于渭南和商洛地区，有产地20多处，探明4处，探明储量居全国第二位。渭南地区有钼矿5处，产于华州区及华阴市，其中华州区金堆城和桃园两处属大型矿床，且伴生有铜、铼、铅、银、稀土元素及硫等矿产，其中铜和铼具有较大的工业价值。金堆城钼矿驰名省内外，探明储量列入中国钼矿床之首，且矿石易选，浮选后钼精矿品位高，回收率也高，矿体大部分裸露地表，适于露天开采。安康地区有钼矿点8处，分布宁陕

◎辉钼矿矿石

县的3处，为花岗岩与围岩接触带上的接触交代型钼矿，如月河坪和大西沟等地。商洛市有钼矿8处，多分布在洛南县境内，余为商州区和柞水县。钼矿大多产于高山河谷，与中酸性小岩体有关，属细脉浸染和密集脉群类型。

具有工业价值的钼矿物为辉钼矿，其开采量占钼矿总开采量的90%。钼主要用于钢铁工业，制特种钢，也用于电器生产中。

☑ 太白红杉

太白红杉属落叶乔木，高15米，胸径60厘米，是陕西省特有的一种落叶松。居于山地垂直带谱的顶端，与高山疏林灌丛带紧相连接。太白红杉林面积不大，主要分布在秦岭的太白山、玉皇山等几座海拔较高的山峰

上部。这类针叶林在涵养水源、水土保持方面的作用，要比木材生产的意义大得多。

☑ 朱鹮

朱鹮又叫朱鹭，鸟纲，鹮科。全身呈白色，只有翅膀和头部为粉红色，头顶、额、眼周和嘴基都裸露，呈朱红色。头后枕部有冠羽，嘴长而向下弯曲。朱鹮栖息在河滩、沼泽地和山溪等附近，以小鱼、软体动物、

●太白红杉

●朱鹮

朱鹮雄鸟体长近80厘米，雌鸟稍小。活动于水田、沼泽地及山区溪流附近。

甲壳动物等为食。曾广泛分布于中国东部、日本、俄罗斯、朝鲜等地，由于环境恶化等因素导致种群数量急剧下降，至20世纪80年代仅中国陕西省南部的汉中市洋县秦岭南麓仅有7只野生种群，后经人工繁殖，种群数量已达到2000多只（2014），其中野外种群数量突破1500多只，朱鹮的分布地域已经从陕西南部扩大到河南、浙江等地。朱鹮是世界上最稀少的鸟类之一，已被列为国际一级濒危动物。

☑ 金丝猴

金丝猴又名仰鼻猴、金钱猴，属猴科动物，主要分布在中国陕西、四川等地，国家一级保护动物。毛色艳丽的金丝猴是中国特有的猴类。金黄而略带灰色的被毛既厚又长，鼻孔向上翘，嘴唇显得宽厚，因而又称"仰鼻猴"。金丝猴头顶的毛呈深灰褐色，颈、颊侧及腹部的毛由红黄至黄褐色，尾呈灰白色。金丝猴喜群居，成群游荡，有一定的活动范围和相对固定的路线。食物以野果、树叶、嫩枝芽为主，也吃苔藓植物。金丝猴4岁性成熟，每年夏季产1仔。幼仔毛色乳黄，2岁以后变成金黄色。目前在中国金丝猴集中分布的主要栖息地，已分别建立了自然保护区。

金丝猴

☑ 羚牛

羚牛别名扭角羚、白羊，是中国特有的一种珍贵野生动物。羚牛外形颇似牛，机体结构又介于山羊与羚羊之间，故称羚牛。它体形粗大，四肢粗壮，肩高大于臀，体长约1.8米，成年雄体可达2米以上。主要分布于甘肃省南部、陕西省秦岭山区和四川省及西藏部分地区。在陕西分布于太白、周至、宁陕、洋县、佛坪等县，估计种群数量2000头～3000头。它栖息于海拔2500米以上的高山森林、草甸地带。夏季活动于海拔4000米以上雪线附近的草坪，喜群栖；冬季为小群，夏季则聚10头一

◎秦岭羚牛

羚牛在中国共分布有四个亚种，而分布在秦岭山中的秦岭亚种是四个亚种中体形最大的，秦岭羚牛通体白色间泛着金黄，长相最为威武，美丽，而且，数量也最为稀少，目前不足5000头。

群。国家已将羚牛列为一级保护动物，成立了陕西省牛背梁自然保护区。

☑ 佛坪国家级自然保护区

佛坪国家级自然保护区是以保护大熊猫为主的森林和野生动物类型的国家级自然保护区，地处汉中市佛坪县境内西北部。保护区面积350平方千米，最高海拔2904米，最低海拔980米，区内四条河流均为汉江一级支流金水河的发源地。本区地处亚热带向暖温带过渡地带，森林生态系统保存完整，森林覆盖率95%以上。竹林面积占44.7%，为大熊猫生息提供了丰富的食物。本区已发现有高等植物1583种，列入国家保护的有22种，其中一级2种，二级20种。本区在地理上处于古北界与东洋界的交汇处，已发现有脊椎动物338种，其中兽类68种，鸟类

◉**佛坪自然保护区内地野生大熊猫**

217种，两栖爬行类38种，鱼类15种。列入国家一级保护的有大熊猫、金丝猴、羚牛等5种，二级保护的有38种。大熊猫是本区的重点保护动物。在核心区内平均2.5平方千米就有一只大熊猫，密度居中国之首。本区大熊猫毛色奇特，除黑白色外，还有棕色和白色大熊猫。佛坪自然保护区是中国三个重点大熊猫自然保护区之一。

经济

　　陕西省经济发展的自然环境和资源条件尚称优越，工农业、交通运输和旅游业在西北地区均较发达。这里的农业生产历史悠久，粮食基本可以自给。省内以机械、电力和轻纺工业为主的部门结构日趋合理。在交通方面，以西安为中心，陆路和航空运输皆很方便。富有特色的旅游业也已成为省内经济发展的重要组成部分。

☑ 农业

　　陕西农业发展历史悠久，早在2000年以前，渭河平原已开始治河修渠、引水浇地，农业以耕作业为主，全省现有耕地5996万亩。耕作制南北不同，大致陕北一年一熟，关中二年三熟，汉中一年二熟。农作物差别也较大。陕南是亚热带作物区，水稻种植面积占全省80%以上，主要分布于汉水干支流沿岸谷地，以汉中盆地最集中。玉米为山区主要粮食作物。渭

⚫ 临潼石榴

临潼石榴是陕西一大特产。它集全国石榴之优，素以色泽艳丽，果大皮薄，汁多味甜，核软鲜美，籽肥渣少，品质优良等特点而著称。名居全国五大名榴之冠，被列为果中珍品，历来是封建皇帝的贡品，享誉九州，驰名海外。白居易曾写诗赞美："日照血球将滴地，风翻火焰欲烧人"。简直把石榴写绝了。

河平原耕作精细，灌溉发达，是中国著名麦、棉产区，占全省粮食产量2/5的小麦，有85%产在这里；棉花产量的90%也在关中。这里耕畜较多，"秦川牛""关中驴"等优良畜种名闻中国，近年大力发展奶山羊饲养，并成为中国最大的奶山羊基地。陕北为农牧并重区，谷子、糜子为当地名产，经济作物以胡麻最为重要，烟草、甜菜也有较大发展，近年还种植了棉花、红薯，而且产量较高；牧业以羊为主要畜种，大牲畜以役用驴为主。

☑ 工业

陕西煤储量丰富，以铜川为中心的渭河北岸，煤田绵延，有"陕西黑腰带"之称。铁、锰、铜、铝、钼、铅、锌、金、磷、石油、石灰石、石墨、石膏、天然碱、耐火黏土等也相当丰富。全省在只能生产少量煤、石油、白酒、火柴、棉纱、面粉的基础上，新建和扩建了煤炭、电力、石油、钢铁、机械、仪表、水泥、化肥、造纸、钟表、塑料、搪瓷、化纤及棉、毛、丝的纺织、印染工业，机械、燃料、化工、纺织等，而且在中国占重要地位。西安、宝鸡、咸阳、铜川为主要工业中心，延安、汉中等各县市也都建立了中小型企业。

☑ 交通

全省有郑州至西安和大同至西安客运专线、陇海、宝成、宝中、宁西、西康、襄渝等重要干线，纵贯南北，横跨东西，辐射甘肃、宁夏、河南、山西、四川、湖北、重庆等省市部分地区，是承东启西、连接南北的咽喉要道，是进出川、渝、滇、黔西南地区的运输通道，是西北乃至全国重要客货流集散地和转运枢纽之一，在全国路网中具有重要的战略地位。全省公路基本形成了以西安为中心，四通八达的骨干网络。2014年，全年公路旅客发送量6.67亿人，货物发送量11.93亿吨，货物周转量1956.54亿吨千米。陕西境内以西安咸阳国际机场为中心，形成了"一主四辅"空中运输格局。2014年，西安咸阳国际机场运营国际（地区）航线的中外航空公司达到22家，每天有超过25班次的国际航班、逾3000名旅客从西安前往世界各地。西安咸阳国际机场国际（地区）年旅客吞吐量突破100万人次。

● 运20运输机

运—20运输机，是中国自主研发的新一代喷气式重型军用运输机，由中国航空工业集团公司第一飞机设计研究院设计、西安飞机工业集团为主制造，并于2013年1月26日首飞成功。

旅游地理

陕西省不仅历史悠久，而且名山大川众多。巍峨的秦岭山脉横亘陕西中部，滚滚黄河纵穿秦晋峡谷，造就了华山、骊山、太白山、天台山和黄河壶口等著名的风景名胜区。陕北的黄土高原沟壑纵横、雄伟壮观，陕南的岚山黛色可与江南媲美。"秦中自古帝王州"，大雁塔、小雁塔、明城墙、钟楼、鼓楼、慈恩寺、荐福寺等各朝的宫阙遗址、名寺古刹在陕西随处可见。秦皇陵兵马俑、宋代碑林彰显着三秦大地的文治武功。陕西大地，每一处胜迹，都有历代文人留下的诗篇；一山一水，都包含着一段动人的传说。

☑ 华山

华山为中国五岳之一，号称"西岳"，位于陕西省华阴市南，秦岭山脉以北，海拔2200米。由于山势险峻，群峰峻峙，《山海经》称"远而望之，又若华伏"，山名即由此而来。华山是一座由花岗岩组成的山体，花岗岩经长期风化侵蚀，岩株出露地表。花岗岩虽抗蚀能力强，但纵横节理发育，易风化侵蚀，加上南北两大断层错动和东西两侧流水下切，将华山分割成座座俊秀山峰，而且山峰四壁如削，拔地通天，其中最著名的有东、西、南、北、中五峰。自古华山就以雄奇险峻著称，青柯坪、千尺幢、擦耳崖、苍龙岭、长空栈均为险绝处。华山高崖陡路险，诸峰间仅南、北一径，有"自古华山一条路"之说。华山还多古松，巨干修直，且多生长于海拔1500米以上的地带，与峭峰奇石相得益彰。华山为道教名山，元时为全真道华山派发源地，山中留有许多带有道教色彩的传说和人文胜迹，莲花洞、仰天池等处题刻尤多。

☑ 黄帝陵

　　黄帝陵位于黄陵县城北的桥山上，高约3.6米，周长48米。墓前碑亭内立有"桥陵龙驭"碑和"黄帝陵"碑。黄帝传说是中原各族的共同祖先，姬姓，号轩辕氏、有熊氏，少典之子，原为一氏族部落首领，由于在阪泉战胜炎帝，在涿鹿击杀作乱的蚩尤而被拥戴为部落联盟领袖。其陵墓在甘肃、河北、河南等地也有。因《史记·五帝本纪》上有"黄帝崩，葬桥山"的记载，故历代均在桥山黄帝陵举行祭祀大典。桥山黄帝陵墓南侧有汉武仙台，台侧石碑上载有汉武帝在此筑台祈仙的史实。山麓有黄帝庙，庙内有一株高19米的千年古柏，传为汉武帝手植。

● 黄帝陵全景
从远处遥望黄帝陵，庄严朴素，气势恢宏，周围古柏环绕，郁郁葱葱。

☑ 秦始皇陵

　　秦始皇陵是世界上规模最大、内涵最丰富的帝王陵墓，位于陕西临潼东5千米的下河村附近。始建于公元前247年，至公元前210年竣工，历时37年。据《史记》载：陵墓开凿很深，地底见水，用铜加固，上置棺椁；建有豪华宫殿，并设百官位次；放满奇珍异宝，设弩机以防盗墓；灌输水银为百川江河大海，以明月珠为日月，铸金银为雁凫，刻玉石为松柏，用鱼油膏为灯烛照明。工程之艰巨，陈设之豪华，十分惊人。陵园面积近8平方千米，有内城和外城两重，外城矩形，周长6210米，四角各有门址一处，内城周长3840米，底基呈方形。在陵西内、外城之间，挖掘出饲养马的葬仪坑17座，埋有珍禽异兽的瓦棺葬17座，跽坐陶俑14座；陵西还有陪葬墓和陪葬坑，陵西中部是陵道，埋有木质、铜质车马。陵北有陪葬坑和耳室7座，还有地阙及通

🌑秦始皇陵兵马俑

秦兵马俑坑是1974年春发现并挖掘出来的，先后发掘三处：1号坑东西长230米，宽62米，深5米，分长廊和11条过洞，共出土武士俑500多个，战车4辆，马24匹，估计整个坑内埋有兵马俑6000余个；2号坑呈曲尺形，面积6000平方米，有兵马俑千余，由骑兵、战车、步卒和射手混编而成，配有各种实战武器；3号坑平面呈凹形，面积500平方米，内有战车一乘，卫士俑68个，配有大批武器，似为中军统帅处。此外，陵旁还出土两级铜车马俑，每组配4匹马及驭手。车、马、人雕镂精致，镏金错银，金碧辉煌。兵马俑形象地再现了秦始皇当年行军作战、统一六国的雄伟阵容，被誉为"世界第八大奇迹"。

🌑秦始皇陵远眺

秦始皇陵墓位于风景如画的骊山脚下，背面与渭水相邻，绿树成荫，碧水云天。

◎二号铜车马

名为"安车",分为前后两室,前室较小,仅供驭手一人乘坐。上罩一个穹隆式的篷盖,状如龟甲,前后室均罩于篷盖之下,具有防风避雨、防尘防晒的实效。御官俑身佩长剑,跽坐于车前室,手中握着辔索。后车室内没有发现兵器,舆内仅置有铜方壶和铜折页各一件,舆底为类似于古车软垫的"文茵"方形大铜板。

往墓内的甬道。陵东侧有甬道3处。内城北侧有密集的建筑遗迹,似为寝殿、祖庙建设。秦陵区还发现有53座马厩坑、17座杀殉墓和17座刑徒墓,作为防水堤的五岭遗址一处,门阙遗址一处,鱼池建筑遗址和打石场遗址等。秦始皇陵是一个巨大的文物宝库,目前仅普查了总面积的1/10,而挖掘面积只有几千平方米,但出土文物就有四五万件,对研究中国古代政治、文化、军事和冶金技术等提供了实物资料,具有极其重大的研究价值。

☑ 霍去病墓

西汉名将霍去病之墓。为汉武帝茂陵的仿山形记功陪葬墓。位于陕西省兴平市茂陵东侧。霍去病生前多次出征匈奴,在祁连山一带立下卓越战功,对保卫"丝绸之路"的畅通和北边的安宁起了重要作用。汉武帝为表彰他的功绩,仿祁连山筑土冢以葬,并让其成为茂陵的陪葬墓之一。墓前有16件石雕,为:马踏匈奴、人与熊斗、伏虎、卧象、牛、马、鱼、

◎霍去病墓马踏匈奴石刻

马踏匈奴像在墓前的石像群中居于主体位置,石马四蹄之间紧夹着一个仰面朝天、面容惊恐的匈奴武士,战马的昂扬斗志与武士的痛苦绝望形成鲜明对比。"马踏匈奴"石像是对霍去病一生功绩的高度概括与褒扬。

猪、羊等，"怪兽食羊"造型生动，风格粗犷雄浑，雕刻手法极为简练传神，是中国现存时代最早又保存完整的成组石刻，堪称中国古代雕刻艺术的珍品。该墓1961年被国务院确定为全国重点文物保护单位。

☑ 乾陵

　　唐高宗李治和武则天的合葬陵。位于今陕西省乾县北约6千米的梁山上。乾陵规模宏大，气势伟岸，是唐陵中最有代表性的一座。乾陵因山为陵，整体设计巧妙地利用地形变化，有内外两层，分布在梁山上。梁山三峰中北峰最高，南面二峰稍低，东西对峙，上立双阙，为陵的天然门户。神道建在南北走向的岭脊上，北高南低，长约四千米。陵墙大体呈方形，四角有角楼，四面均有阙门和巨型石刻，自南向北，排列有华表一对，飞马、朱雀各一对，石马五对，着袍持剑的石人十对，还有两座高大的石碑。乾陵墓室入口在半山处，用条石加铁栓，并注白铁封固。自内城的北门，穿越梁山北峰，经献殿，出朱雀

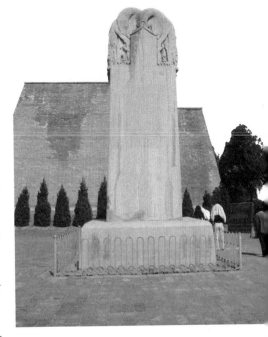

● **乾陵无字碑**

武则天的墓前只立碑，不刻字，称为"无字碑"。碑由一块巨大的整石雕成，碑头雕有8条互相缠绕的螭首，饰以天云龙纹。民间传说武则天作为中国历史上唯一一个女皇帝，死后墓前竖此无字碑，是要将自己的功过是非留与后人评说。

门，接连神道，是陵区中轴线。在这条中轴线上，山势有两个大的起伏。谒陵者进入第二道门，才能统览陵前的主要布局，增强了陵区森严宏大之感。在御道尽头，又需过一个低坡，始可仰见北峰，起伏变化，加强陵墓高大庄严的视觉效果。乾陵在利用天然地势上取得极大的成功，成为历代帝王陵墓中"因山为陵"的典型。陵东南陪葬有17座王公大臣的墓冢，出土有大量壁画、三彩俑和线刻石椁、石门等重要文物。

☑ 大小雁塔

大小雁塔皆位于西安市东南面，一大一小，遥遥相望。古人曾把雄伟高大的楼阁式大雁塔称为"伟丈夫"，而将秀丽玲珑的密檐式小雁塔称作"娇夫人"。大雁塔位于西安市南郊大慈恩寺内，塔高64米，呈方形角锥状，共7层，是中国楼阁式砖塔的优秀典型建筑。塔身磨砖对缝，结构坚固，底层四面有砖券拱门，塔底层南门两侧嵌立着唐代书法家褚遂良书写的两通石碑。小雁塔因塔体较大雁塔小，故称小雁塔。塔为密檐式方形砖构建筑，是早期密檐式塔的代表作。结构上由于塔身小，窗南北相对，上下成

● **大雁塔**

大雁塔相传是唐朝高僧玄奘从印度取经回来之后，专门从事译经和藏经的地方，因仿印度雁塔的样式修建，故名雁塔。俗话说："不到大雁塔，不算到西安。"大雁塔已成为古城西安的象征。

串，削弱了整体结构的牢固，因此在地震中易毁坏。

☑ 华清宫

　　华清宫是一组庞大的建筑群，从骊山山麓至山顶布满门楼殿宇。唐贞观十八年（644），唐太宗委派杰出建筑师阎立本负责设计，把骊山改建为汤泉宫。唐天宝六载（747），唐玄宗再次大规模扩建，改名华清宫。唐玄宗每年都要带杨贵妃来此游乐，唐玄宗住在这里的寝宫叫飞霞殿，殿南的御用浴池名莲花汤，全用白石砌成，池中有两朵白石雕成的莲花，温泉从花心隐藏的泉眼中流出。莲花汤西面的芙蓉汤，是杨贵妃专用的浴池。白居易传诵千古的"春寒赐浴华清池，温泉水滑洗凝脂"的诗句，描写的场景就在这里。

●华清池

☑ 法门寺

法门寺为关中佛教塔庙之祖，位于扶风县城北约15千米的法门镇。近年因发现寺塔地宫珍宝及释迦牟尼真身佛指舍利而闻名中外。此寺始创东汉，相传西（天竺）典（佛法）东（中国）来，由东汉到北魏均名阿育王寺，阿育是梵语"无忧"之意，阿育王是古天竺（印度）的国王，因他在佛天度（死）后，笃信佛法，将其遗骨分为84000份，在世界上修造84000座塔，分葬佛的舍利。其中在中国有十九塔，扶风一塔又称渭阳塔，"因塔置寺，寺因塔著"。《闻见后录》载："寺有古塔四层，瘗佛手指骨一节，唐宪宗盛仪卫迎入禁中。塔下层有芙渠，工制精妙，每一叶芙渠上刻一施金钱人姓名，殆数千人，宫女名为多。又刻白玉石像，瘗佛指骨节置金莲花中，隔琉璃水晶匣

◎**鎏金捧真身银菩萨**

法门寺地宫出土。此尊捧真身菩萨是唐懿宗三十九岁生日时为供养佛指舍利而敬造的。咸通十四年（873）在迎送佛舍利时，与佛祖之金骨真身一并请入地宫永为供养。

◎**法门寺全景**

可见。"故名"真身宝塔"。此寺多次被毁，多次重修。明隆庆年间（1567～1572）原四层木塔倒崩，万历七年改修13层砖塔，高47米。第一层东南西北四面分别题额"真身宝塔""美阳重镇""舍利飞霞"和"浮图耀日"。该寺原占地百余亩，共有24个院落，唐代寺内和尚达3000人。1981年因连阴雨原塔崩坍。1987年为修复砖塔清理塔基时，发现咸通十五年封闭的地宫，长21.2米，面积31.89平方米，宫里保存的大批金银器皿，丝绸绫绢等，稀世珍宝1000多件，不但等级高，品种多，而且保存完好如初。特别是四枚佛指的再现，在世界佛教界引起了轰动。据地宫发现碑文记载，从北朝元魏时代至唐

◎鎏金双蜂团花纹镂孔银香囊

陕西扶风县法门寺地宫出土。上下球体均饰五朵双蜂纹团花，通体为镂空的阔叶纹样。直径12.8厘米、链长24.5厘米。重547克。是唐代香囊存世品中迄今发现最大的一枚。内装持平环，套接香盂，无论囊体怎样转动，香囊始终保持水平，说明近代用于航海、航空的陀螺仪原理，早在唐代已被中国工匠所掌握。

代，地宫每隔三十年开一次，将佛指舍利请出供奉。迎奉场面之大，礼仪之重，空前绝后。如今，新建的法门寺博物馆和修复一新的寺院、宝塔、地宫于1988年佛诞节正式开放。

甘肃省

行政区划

甘肃省简称甘或陇。旧时因取其境内的甘州、肃州两地的首字而得名。地处北纬32°31′~42°57′、东经92°13′~108°46′之间。甘肃的地理位置在国境中偏西北，处于黄河上游。东临陕西，西南与青海、四川接壤，西与新疆维吾尔自治区相连，北与内蒙古自治区相连，部分与蒙古国交界，东北与宁夏回族自治区连接。省境地域狭长，自西向东南延伸。面积45.37万平方千米。辖12个地级市、2个自治州，17个市辖区，5个县级市，57个县和7个自治县。省会兰州市。

甘肃省行政区划简表

行政区	面积（平方千米）	下辖行政区
兰州市	13085.6	城关区、七里河区、西固区、安宁区、红古区、榆中县、皋兰县、永登县
嘉峪关市	2935	雄关区、长城区、镜铁区（三区为管理区，非市辖区）
金昌市	8896	金川区、永昌县
白银市	21209	白银区、平川区、会宁县、靖远县、景泰县
天水市	14392	秦州区、麦积区、清水县、秦安县、甘谷县、武山县、张家川回族自治县
酒泉市	19200	肃州区、玉门市、敦煌市、瓜州县、金塔县、肃北蒙古族自治县、阿克塞哈萨克族自治县
张掖市	40974	甘州区、山丹县、民乐县、临泽县、高台县、肃南裕固族自治县

武威市	33238	凉州区、古浪县、民勤县、天祝藏族自治县
定西市	19609	安定区、通渭县、陇西县、漳县、渭源县、岷县、临洮县
陇南市	27923	武都区、宕昌县、两当县、徽县、成县、西和县、礼县、康县、文县
平凉市	11325	崆峒区、华亭市、泾川县、灵台县、崇信县、庄浪县、静宁县
庆阳市	27119	西峰区、正宁县、华池县、合水县、宁县、庆城县、镇原县、环县
临夏回族自治州	8169	临夏市、临夏县、康乐县、广河县、永靖县、和政县、东乡族自治县、积石山保安族东乡族撒拉族自治县
甘南藏族自治州	40201	合作市、夏河县、玛曲县、舟曲县、碌曲县、迭部县、临潭县、卓尼县

● 兰州黄河母亲雕塑

雕塑由甘肃著名的雕塑家何鄂女士创作，长6米，宽2.2米，高2.6米，总重40余吨，由"母亲"和一"男婴"组成构图。分别象征了哺育中华民族生生不息、不屈不挠的黄河母亲，和快乐幸福、茁壮成长的华夏子孙。该雕塑构图简洁，寓意深刻，反映了甘肃悠远的历史文化。

●**兰州金城关文化风情园**

兰州金城关文化风情园位于兰州市区黄河北岸、白塔山下、中山桥头，是一片依山而建的仿古建筑群。集聚了中国秦腔博物馆、兰州非物质文化遗产陈列馆等一批重大文化产业项目，旨在向人们展示黄河文化、丝路文化、民俗文化的风采，是兰州近年来倾心打造的一张文化名片。

☑ 兰州市

　　兰州市是甘肃省省会，全省的经济、文化和交通中心，也是中国西北地区最大的重工业城市。面积13085.6平方千米，全市辖5区3县。常住人口370.55万（2016），以汉族居多。兰州地处陇西黄土高原、青藏高原、内蒙古高原的交会地段，自古为西北地区军事重镇，古代"丝绸之路"的要冲，地理位置极为重要。清康熙五年（1666）兰州始为甘肃省会。1941年设兰州市。市区呈狭长带状分布于黄河谷地，主要交通线也因之多呈东西方向。市区西部黄河诸大峡谷中，已建成刘家峡、盐锅峡及八盘峡3座水电站，且有西固热电站与窑街、阿干镇等煤矿，动力资源较为丰富。兰州还是中国重要的新兴工业城市，重工业以石油、化工、机械制造、有色金属冶炼为主，还有电力、采煤、钢铁等部门。轻工业以棉、毛纺织等工业为主，其次有制革、造纸、医药等。

☑ 天水市

　　天水市位于甘、陕、川三省交通要冲，是古"丝绸之路"上的重镇。陇东南政治、经济、文化中心。在甘肃省东部，渭河南岸，陇海铁路线上。全市辖秦州、麦积2个区和4县、1个自治县。总面积14392万平方千米，常住人口382.9万人（2016）。天水气候温和，土地肥沃，物产丰富，享有"西北小江南"美称。主要农作物有小麦、玉米、豆类、胡麻等。中华人民共和国成立后，经60多年建设，天水已发展成为拥有食品、纺织、印染、塑料、中成药、机械、电器、水泥、仪器仪表、工艺美术等门类较多的新型工业基地，其中轻纺和工艺加工工业产品，鲜艳夺目，各具特色，畅销37个国家和地区。手工艺品有地毯、丝毯、雕漆等，出口享有很高声誉。天水风景名胜颇多，

⬤天水卦台山风光

卦台山，相传为伏羲氏仰观天，俯察地，始画八卦的地方，处于天水市三阳川西北端，现辖于麦积区渭南镇，距天水市约15余千米。卦台山如一巨龙从群峦中探出头来，翠拥庙阁，渭水环流，钟灵毓秀，气象不凡。登临卦台山顶，俯瞰三阳川，人们不难发现，古老的渭河从东向西弯曲成一个"S"形，把椭圆形的三阳川盆地一分为二，形成了一个天然的太极图。

著名的有伏羲庙、麦积山石窟、南廓寺、玉泉观、大象山、水帘洞、仙人崖、李广墓等。

☑ 武威市

武威市位于省境中部，河西走廊东段，距省会兰州274千米。东北和西北与内蒙古自治区阿拉善盟接壤，西南与青海省海北藏族自治州、海东地区毗邻。面积33238平方千米，常住人口181.98万（2016），以汉族为多，有藏、土等少数民族。地区行政公署驻武威市。辖凉州区和民勤、古浪2县及天祝藏族自治县。武威市地处祁连山地和河西走廊东段，地势南高北

低。大雪山是内陆石羊河与外流黄河之分水岭。河流有东大河、西营河、金塔河、杂木河、黄羊河、古浪河、大靖河等。矿藏有煤、铁、金、石膏、石灰石、石英石等。工业有采煤、电力、化工、机械、建材、纺织、制糖等行业。农业主产小麦、油料子和蔬菜、瓜类。畜牧业以养羊、马、牛为主。天祝藏族自治县为牧业县，岔口驿马是中国良种马之一。文物古迹有西夏重修护国寺感应塔碑，新石器时代皇娘娘台齐家文化遗址，柳湖墩沙井文化遗址，唐连城遗址及磨嘴子、王景寨、乱墩子滩汉墓群，青嘴喇嘛湾唐墓群和元亦都护高昌王世勋碑等。

●武威南城门

南城门，又名昭武门。始建于隋代，后历经战乱，几经毁坏。明王朝为了巩固加强凉州这一战略要地，采取外筑边墙、内修城池的措施，从明洪武十年（1377）至万历十五年（1617），历时240年，对凉州城进行增修加固，新修了西城门，修建了东、南、北三大城门楼，创修吊桥四座，挖了深6米的城壕，在城墙四周修建了箭楼、逻铺三十六座；后来又用城砖包砌了全部城墙。经过这些增修加固，成了名副其实的"金城汤池"。

☑ 张掖市

张掖市位于甘肃省西部的河西走廊中段。辖山丹、民乐、临泽、高台、肃南裕固族自治县及甘州区。土地面积40974万平方千米。常住人口122.42万人（2016）。张掖市是国家1985年颁布的第二批全国历史文化名城之一。是古丝绸之路重镇，是新亚欧大陆桥的要道，是全国历史文化名城和中国优秀旅游城市，全国第二大内陆河黑河贯穿全境，是甘肃省商品粮基地，自古有"金张掖、银武威"之美誉。张掖拥有亚洲最大的军马场，国务院批准建设的国家级湿地保护区，以及被美国《国家地理》杂志评为"世界十大神奇地理奇观"的张掖国家地质公园。张掖有着悠久的历史、灿烂的文化、优美的自然风光和独特的人文景观，自古就有"塞上江南"和"金张掖"之美誉，古人有诗曰"不望祁连山顶雪，错把张掖当江南"。

● 张掖鼓楼

张掖钟鼓楼又称镇远楼，俗名鼓楼，又名靖远楼，位于张掖市中心，东西南北四条大街交汇于此，是河西走廊现存最大的鼓楼。是凝聚着古代汉族劳动人民智慧结晶的标志性建筑。张掖鼓楼是仿西安钟楼建造，平面方形，建在一座砖砌的坛上，面阔3间，进深3间，底宽16米。台平面呈方形，台底宽32米，高9米，基座至楼顶30多米，楼为三层木构塔形，重檐四面坡，攒尖顶。飞檐翘角，雕梁画栋，典雅庄重，是一座体现明代建筑风格的古建筑。

☑ 敦煌市

敦煌市为甘肃省酒泉地区辖市，河西走廊西端交通枢纽，进入新疆、西藏的门户。位于党河和疏勒河下游最大的绿洲上，为古代"丝绸之路"西出玉门和阳关的主要门户。敦煌古城在党河西岸，北魏置瓜州敦煌郡。五代以后均称沙州。清乾隆二十五年（1760）复名敦煌县。1987年改为县级市。敦煌属暖温带极干旱气候，绿洲盛产优质棉花和瓜果。工业有农机制造、农具、磷肥、电力等。市境地处甘、新、青、藏的交通要道上，兰新铁路和甘新公路横贯市境以北。境内有从红柳园至青海、西藏及敦煌至西安等公路干线。中国最著名的石窟——莫高窟就位于敦煌市境内。

人口、民族

　　甘肃省人口分布极不平衡，历史变化也很大。20世纪初，全省人口约600万，由于旱灾、地震、瘟疫、战争等原因，人口增长极为缓慢。1942年至2000年人口增长迅速，加之外地人口大量迁入，全省人口猛增，截至2017年，常住人口为2625.71万人。目前省内人口平均密度为每平方千米57人，低于中国平均水平。甘肃是多民族聚居省区之一。以汉族人口最多，分布遍及全省。回、藏、东乡、裕固、保安、蒙古、哈萨克、土、撒拉等少数民族多集中于各民族自治州及自治县。

☑ 保安族

　　保安族有人口2.0074万（2010），主要分布在甘肃省积石山保安族东乡族撒拉族自治县。保安族有自己的语言，保安语属阿尔泰语系蒙古语族，分大河家和同仁两个方言；无本民族文字。关于保安族的族源，历史文献记载很少。明初，朝廷在其地置"保安站""保安操守所"招募士兵戍边，并筑"保安城"，加强对周围地区屯田事务的

⊙打制腰刀的保安族技师

保安人打制腰刀的历史由来已久。13世纪初，成吉思汗的蒙古军团横扫欧亚大陆时，在中亚诸国俘虏了大量的信仰伊斯兰教的回回、哈剌鲁、康里、阿尔浑、撒尔塔等各类色目人。这些人被组建成"探马赤军"，其中不乏能工巧匠。1227年，成吉思汗东征时，把部分来自中亚的官兵和工匠留在青海同仁地区，这部分色目人与当地蒙、汉、回、藏、土等各族人民相邻而居，互通共融，逐步形成了保安民族。

管理。保安族以农业生产为主，部分人兼营手工业。"保安刀"是保安族的传统手工艺品，制作工艺精湛，锋利耐用，享誉远近。著名的"双刀"和"双垒刀"的刀把多用黄铜或红铜、牛角、牛骨垒叠而成，刻有各种美丽的图案，有"十样锦"之美称。

☑ 裕固族

　　裕固族有人口1.4378万（2010），主要分布于甘肃省肃南裕固族自治县和酒泉市的黄泥堡裕固族乡。裕固族有自己的语言，分西部裕固语和东部裕固语；无本民族文字。裕固族自称"尧呼儿"。1953年，经本民族代表协商，确定以同"尧呼儿"音相近的"裕固"为族名。裕固族之先民的活动，可溯至公元前3世纪的丁零、4世纪的铁勒和居住在今蒙古人民共和国色楞格河、鄂尔浑河流域的袁纥。唐武后时，一部分回纥人迁至甘州（今张

● 裕固族少女
裕固族服饰色彩鲜艳，独具特色。

披）、凉州（今武威）一带游牧。9世纪中叶，又有一支回纥人迁至河西走廊，与当地的回鹘部会合，即成为今裕固族前身。中华人民共和国成立后，随着当地交通运输和文化教育、卫生事业的发展，裕固族已实现牧户定居，生活水平有了很大改善。

☑ 东乡族

东乡族有人口62.1500万（2010），主要分布在甘肃省临夏回族自治州，少数散居在兰州市、定西市、宁夏回族自治区和新疆维吾尔自治区。东乡族有自己的语言，东乡语属阿尔泰语系蒙古语族；无本民族文字。东乡族因居住在河州（今临夏地区）东乡地区而得名。14世纪后半叶东乡族由聚居在东乡的许多民族融合而成。构成其族源的主要成分是

●带着白色盖头的老年东乡族妇女
东乡族服饰上带有回族的特点，颜色多青、蓝色或藏青色布制成。妇女的上衣宽大长至膝盖，衣领衣袖衣襟均绣有装饰，套裤的裤管也滚有花边，用飘带束住。在节日里，妇女会穿上高跟绘花鞋，包头巾并插银制饰物。东乡族妇女的盖头分黑、绿、白三种颜色。女孩从七八岁开始戴绿盖头，婚后戴黑色盖头，老年妇女戴白色盖头。

信仰伊斯兰教的色目人和蒙古人。东乡族以农业生产为主，大部分地区以土豆为主食。东乡的土豆品质优良。此外，唐汪川的桃杏在甘肃也颇有名气，它既不同于桃，又有异于杏，个大色美，皮薄肉厚，甘甜爽口，具白兰瓜之醇香。畜牧业，特别是养羊，在东乡族人民生活中占有重要地位。

历史文化

甘肃陇中的泾、渭上游诸河谷为中华民族发祥地与华夏文化摇篮，新石器时代就出现了齐家文化。省境最早属禹域雍、河之地。春秋战国时，陇中为诸戎所据，河西分由匈奴、月氏、乌诸族占领。汉武帝元狩二年（前121），于河西置武威、酒泉、张掖、敦煌四郡，开辟了中原地区通向西域的走廊。河西遂成为"仓廪丰足，牛马布野"和"民庶殷富"的地区。隋唐以前，兰州曾是中国通向中亚、西亚，甚至欧洲的交通要地。历史上的"丝绸之路"自长安经省境东部到凉州武威进入河西走廊，丝绸之路的形成和畅通，促进了甘肃农牧业、手工业和商业的发展和繁荣。隋唐时期，河西农田水利和屯垦再度兴盛，农业非常发达，积粮甚多。明代以后，随着海上交通发展，"丝绸之路"逐步被取代，丝路上的一些重镇也日渐沉寂。

☑ 大地湾遗址

大地湾遗址位于甘肃秦安县城东北邵店村。属仰韶文化遗址，距今六千到七千多年。1978年开始发掘，面积达1.3万多平方米，房基址240座，墓葬79个，窑穴38个，壕沟8条，灰坑300多个，是研究新石器时代建筑的实物例证。遗址有新石器早期的窝棚式房址，还有近似殿堂式的建筑遗址，内分

🔵**大地湾人头形彩陶瓶**

高31.8厘米，口径4.5厘米。人头形瓶口塑有清秀的五官，额际有整齐的刘海，鼻翼微鼓，下颌稍尖，面呈鸭蛋形，双耳有穿孔，目口镂空，显得生趣盎然。瓶身以优美的弧线为轮廓，由弧线三角纹和柳叶纹组成流畅的图案，整个器物，构思奇特，造型优美。

主室、侧室、后室等，并使用人造轻骨料为建筑材料。遗址出土较完整的器物八千余件，包括石器、陶器、角器、骨器，大多为原始生产工具、生活用品、饰物。其中一件人头形器口的彩陶瓶，高31.8厘米，周身绘彩，瓶口为原始人头像，留短发、刘海，耳上有戴环小孔，是研究当时的发式、服饰、风俗等的珍贵资料。有的彩陶上绘有纪念意义的直线或曲线符号，另一处房址的白灰地面上绘有黑色狩猎图，为迄今所发现的最古的记事符号与绘画。该遗址为研究黄河上游新石器时期诸文化的发生、发展及相互关联提供了珍贵的资料。

☑ 马家窑文化

马家窑文化于1924年由瑞典人安特生发现于临洮县马家窑遗址。马家窑文化是甘、青地区的土著文化在仰韶文化的强烈影响下发展起来的，是一种具有浓烈地方色彩的土著文化。它分为马家窑、半山和马厂3个类型，分别代表3个前后承袭、密切相连的发展阶段。马家窑类

◎马家窑文化彩陶四大圈贝币纹双系罐

型分布地域东起陇山，西达武威一带。半山类型分布地域东起会宁、定西一线，西到河湟地区。马厂类型西界可抵玉门、酒泉一线。马家窑彩陶图案中的鸟纹、蛙纹，表明当时人们曾崇拜太阳、月亮。马家窑文化对齐家文化、辛店文化、沙井文化和寺洼文化均产生过影响，其绚丽多姿、图案繁缛的彩陶，代表着中国古代彩陶文化的最高发展水平，而且也是世界古代彩陶文化中艺术成就最辉煌的。

☑ 齐家文化

齐家文化上承马家窑文化，属于新石器时代晚期至青铜时代早期文化。早期年代约为公元前2000年，主要分布于黄河上游地区甘肃、青海境内。齐家文化反映了父系氏族社会的特点。齐家文化的经济生活以原始农业为主，主要种植粟等农作物，人们过着比较稳定的定居生活。齐家文化的畜牧业也相当发达，饲养的家畜有猪、羊、狗、牛、马等，其中养猪业最为兴旺。手工业也发展到一定水平，制陶、纺织及冶铜业都取得较大成就。齐家文化的陶器独具特色，主要有泥制红陶和夹砂红褐陶，还有少量的灰陶和泥制彩陶，纺织品以麻织布料为主，冶铜业也很发达，晚期已进入青铜器时代。齐家文化中原始社会的贫富均等的状态已经被打破，出现了贫富差别以及人与人社会地位的高低之分，并出现了阶级和军事民主制。

●齐家文化彩绘几何纹陶喇叭形器

☑ 伏羲

中国上古神话传说中位居三皇之首、百王之先的中华始祖。一作宓羲、庖牺、伏戏等，又称羲皇、戏皇、太昊、大皞等。相传其母华胥氏怀孕12年，因风而生，故为风姓。伏羲生于成纪（今秦安北、静宁南）。后徙治陈仓（今陕西宝鸡市东）。建都陈（今河南淮阳县境）。古陈州素称"太昊之墟"，淮阳县城北1.5千米之蔡河之滨，有"太昊伏羲氏之陵"。伏羲是原始氏族社会西方部族的一位著名首领。伏羲不仅代表个人也代表群体，更代表一个时代。伏羲时代的历史背景当和考古学上的仰韶文化相当，约在距今7000年至5000年间。伏羲部族以龙为图腾。成纪的中心部位在今天水市境，故天水自古有"羲皇故里"之称。今陕西、河南、山东等地均有伏羲传说遗迹，是伏羲部族向东流动迁徙的证明。今

● 伏羲庙牌坊

伏羲庙坐落于伏羲城民俗文化一条街的中央，当地百姓俗称"人祖庙"，为全国重点文物保护单位，是为纪念上古三皇之首伏羲氏而建造的。伏羲庙前牌楼匾额上的"开天明道"几个大字与古朴的牌楼相应，显出一种古老与庄重。伏羲庙门坊正中挂一牌匾："太昊宫"，门前柱子上的楹联是："立极同天德合乾坤百王仪则，开物成务道传古今万世文祖"，乃后人对人文祖师爷万世功德的精辟概括。

天水市有两处伏羲庙，一处在麦积区三阳川卦台山，始建于金代昌明年间（1190～1196），历时800余年；卦台相传是伏羲画卦之处，尚有分心石、龙马洞遗迹。一处在今天水市区西关，始建于明成化十九年（1483），历时500余年，相沿成为全国性的伏羲祭祀中心。

☑ 雷台汉墓

雷台汉墓位于武威市区北郊1千米处。地面为一夯筑土台，东西60米，因台上建有雷祖观，故称雷台。1969年10月于台下发现一座东汉晚期墓葬。

墓门向东，墓室用大型条砖砌成，最长处19.34米，最宽10.3米，高4.5米。墓室由甬道、前室及左右耳室、中室及右耳室、后室组成，面积约60平方米。墓门及墓室墙壁，均以青、黑两色砖组成各种菱形图案，以红、黑线纹作壁饰。前、中、后三室顶均为覆斗式，以红、黄、灰、白等色绘成莲花图案藻井，以墨线勾边。墓道两侧墙壁有用朱红绘成的花卉图案壁画。墓虽两次被盗，但出土文物仍很丰富。231件文物中，铜器占171件，另有金器、银器、铁器、玉器、陶器、漆器、骨器、石器、琥珀等。其中的铜奔马早已举世闻名。

●雷台汉墓出土的铜奔马

马踏飞燕又名马超龙雀、铜奔马、马袭乌鸦、鹰（鹞）掠马、马踏飞隼、凌云奔马等，为东汉青铜器，1969年出土于甘肃省武威市雷台汉墓。东汉时期军事长官及其妻合葬墓中出土，现藏甘肃省博物馆。"马踏飞燕"身高34.5厘米，身长45厘米，宽13厘米。"马踏飞燕"自出土以来一直被视为中国古代高超铸造业的象征。1983年10月，"马踏飞燕"被国家旅游局确定为中国旅游标志。1985年铜奔马以"马超龙雀"这个名称被国家旅游局确定为中国旅游业的图形标志，并一直被沿用至今。1986年被定为国宝级文物。

☑ 丝绸之路

张骞出使西域，开辟了中国与欧亚各国的重要陆地交通路线，主要从长安经甘肃凉州抵达对外通商的敦煌。由敦煌出发通往欧亚各国的商路有两条：一条沿昆仑山北麓，经今新疆境内翻越葱岭（今帕米尔高原）南部，途经大月氏（今阿富汗境内）、安息（今伊朗）诸国，抵达地中海，或南行至身毒（今印度），此为南道；一条沿天山南麓西行，经今新疆境内翻越葱岭北部，途经大宛（今费尔干纳盆地）诸国，再西行抵达大秦（罗马），此为北道。北道和南道都在高山、沙漠和高原之间，使节、驼商队伍往来其间，交易货物主要是丝织品，也有宝石、香料和玻璃器具等。这两条贸易路线因运销中国的丝织品闻名于世，被中外历史学家誉为丝绸之路。丝绸之路推动了东西方物质、文化的交流，对于促进中国各族人民和中国与欧亚各国人民之间的经济、文化交流起着很大的促进作用。

● 甘肃汉长城遗址

汉长城"因地制宜"的特点十分突出。材质上，就地取材，金塔以东地区均以夯土为主；金塔及其以西地区则分别存在沙土、或红柳、芦苇、胡杨、沙砾夹沙土等形式，也存在利用山水险做屏障的情况。防御设施方面，金塔以东地区以壕堑和山水险为主，辅以单体建筑和关堡等，墙体少见；金塔及其以西地区则以筑墙为主，辅以单体建筑、关堡和其他遗存，壕堑极少。

地貌

　　甘肃省地貌独特，陇东黄土高原和陇南山地起伏于省境的东南部，起自兰州西北，止于疏勒河玉门关，长达1200多千米，犹如一根东西横置的髀骨，南与青海界山祁连山脉接壤，北与龙首山、合黎山和马鬃山毗邻。全省以高原、山地为主，分为陇南山地、陇中黄土高原、甘南高原、祁连山地、河西走廊、北山山地等6类地形区。西部高达海拔3000米以上；而东、北、西三面均低于千米。最高峰为甘、青两省的界山祁连山主峰团结峰，海拔5827米。山脉包括阿尔金山东段、祁连山大部、甘南高原及岷迭山原，占全省面积20.2%，海拔高于3000米，中有海拔4500米以上的山峰，多现代冰川。高山草甸草原为夏季天然牧场。乌鞘岭以东、渭河以北称陇中高原和陇东高原，海拔1500米～2000米，其间以六盘山（又称陇山）分开，均属黄土高原。

☑ 祁连山脉

　　祁连山脉是位于甘肃、青海两省间的巨大山系。祁连山在古匈奴语中，意即"天山"。因在河西走廊之南，又称南山。祁连山脉东起乌鞘岭，西止当金山口，南邻柴达木盆地、茶卡—共和盆地和黄河谷地。山脉呈北西西—南东东走向，长900千米～1000千米，宽250千米～300千米，面积20.6万平方千米。祁连山脉在构造上属祁连褶皱系，原为古生代的大地槽，后经加里东运动和华力西运动，形成褶皱带。白垩纪以来祁连山主要处于断块升降运动中，最后形成一系列地垒山地和地堑式谷地相间排列的地貌山脉。山系西北高，东南低，绝大部分海拔3500米～5000米，最高峰为疏勒南山5827米的团结峰。山系南北两翼极不对称，北坡相对高度达3000米，南麓相对高度仅500米～1000米。山区还存在有三级夷平原。山区冰川分布广泛，有冰川3066条，储水量达1320亿立方米。其中疏勒南山、土尔根达坂和走廊南山冰川规模最大。

☑ 乌鞘岭

　　乌鞘岭原名乌沙岭，位于甘肃省天祝藏族自治县中北部，属祁连山脉北支冷龙岭的东南端，是陇中高原和河西走廊的天然分界，也是半干旱区向干旱区过渡的分界线，还是东亚季风到达的最西端。乌鞘岭是祁连山脉东段雷

◎乌鞘岭雷公山

广义的乌鞘岭包括代乾山、雷公山、毛毛山，最高峰海拔4326米，是北部内陆河和南部外流河的分水岭，也是季风区和非季风区的分界线。主峰经雷公山、代乾山同祁连山东部的主干山脉相接，向东经毛毛山、老虎山没入黄土高原。

●董志塬上的村庄和农田

董志塬位于境内中南部，在泾河北岸、马莲河和蒲河两大河流之间。世界上唯一的一块黄土高原在中国西北，西北典型的黄土高原在陇东，董志塬又是陇东黄土高原之最。它的黄土层厚度达200米以上，塬面面积910平方千米，南北总长110千米，东西最宽处50千米。涉及庆城县、宁县、合水县、西峰区4县区的21个乡镇。

公山（海拔4326米）和毛毛山（海拔4070米）间较低部分，海拔3562米，山口海拔3000米以上。兰新铁路和甘新公路均经此山口。因山口位于中生代后期形成的河西构造系的龙首山—青石岭隆起带东侧的武威—洮河沉降带，故地势较低，有一系列北北西走向的中新生代盆地与河谷，地层为上三叠统硬砂岩互层与灰岩，并有中基性火山岩。乌鞘岭气候变化剧烈，一年四季风雪雨雹轮番交替，从不停息。山顶白雪皑皑；东面是良田、牧场，一片翠绿，岭下的抓喜秀草原，瑰丽多姿，牛马在草原上奔驰，把草原点缀得格外秀丽。

☑ 陇东黄土高原

甘肃是黄土高原的一部分。陇东黄土高原有广阔而富饶的土地，主要是甘肃的高原、中低山，包括陇中黄土高原，陇南山地及河西走廊与北山大部，占全省面积的59.2%。海拔低于2000米。这里是甘肃省著名的粮仓之一，土地利用程度高，人口最多的地区之一。尤以河西绿洲与东部各河谷川台地，为甘肃省开发利用及经济发展精华之所在。其中东部外流区各河流的中下游谷地，由于纬度和海拔均低，气温高，属亚热带和暖温带气候，适于多种经济作物的种植。陇南山地，山高谷深。高山海拔达4000多米，山岭间有宽阔的谷原，白龙江与西汉水流经其间。省境最南端设有白水江自然保护区，是甘肃省唯一具有北亚热带生物资源的自然景观区。

☑ 陇南山地

陇南山地位于渭河谷地以南，海拔200米～4000米，西高东低，向西过渡到青藏高原。陇南山地中山高谷深。高山海拔达4000多米，山岭间有宽阔的谷原，白龙江与西汉水流经其间。南端设有陇南文县自然保护区，是中国熊猫产地之一。陇东毗邻陕西六盘山，夏季多暴雨。这里重恋叠嶂，植被丰厚，到处清流不息。这一区域大致包括渭水以南、临潭、迭部一线以东的山区，为秦岭的西延部分，面积近4.8万平方千米。山地和丘陵西高东低，绿山对峙，溪流急荡，峰锐坡陡，恰似江南风光，又如五岭逶迤。南疆的"纤秀"、北国的"粗犷"在这里得到了完美的融合。

● 陇南山地风光

陇南山地分布在甘肃省东南部，黄土高原以南，甘南高原以东，是秦岭山脉的西延部分。地势西高东低，海拔在2000米～4000米之间。山地以徽成盆地为界线，北部称北秦岭山地，南部称南秦岭山地。

☑ 河西走廊

河西走廊位于甘肃西部，是中国内地通往新疆的要道，东起乌鞘岭，西至古玉门关，南北介于南山和北山间，长约900千米，宽数千千米至近

● **河西走廊中的绿洲**

祁连山常年积雪融化的雪水，沿着山间沟谷顺流而下，在北麓滋润出片片沃土，孕育出丰美的水草，形成了一片片绿洲，它们如同一颗颗翡翠散落成一条绿色的"带子"，光热充足，水资源丰富，是著名的戈壁绿洲，是甘肃主要的商品粮基地，有"甘肃粮仓"之美誉。

百千米，为西北—东南走向的狭长平地，形如走廊，称甘肃走廊。因位于黄河以西，又称河西走廊。河西走廊自南而北，依次出现南山北麓坡积带、洪积带、洪积冲积带、冲积带和北山南麓坡积带。走廊地势平坦，沿河冲积平原形成武威、张掖、酒泉等大片绿洲。其余广大地区以风力作用和干燥剥蚀作用为主，戈壁面积广大，绿洲面积更小。河西走廊冬春二季常形成寒潮天气。夏季降水的主要来源是侵入本区的夏季风。气候干燥，冷热变化剧烈，风大沙多。自东而西年降水量渐少，干燥度渐大。河西走廊历代均为中国东部通往西域的咽喉要道。目前也是沟通中国东部和新疆的干道，为西北边防重地。

☑ **雅丹地貌**

雅丹地貌以罗布泊附近雅丹地区风蚀地貌最为典型而得名。甘肃也有广泛的雅丹地貌分布。从安西县城东北行265千米即到嘉峪关市，沿途戈壁风光独特。其中县城东45千米处的布隆吉乡，公路两侧随处可见造型各异、犬牙交错的风蚀滩地，这就是典

型的雅丹地貌奇观。布隆吉一带由于千万年的风吹日晒，使地表平坦的砂岩层形成风蚀壁龛、风蚀蘑菇、风蚀柱、风蚀垄槽和风蚀洼地、残丘、城堡等各种地貌形态。

☑ 腾格里沙漠

腾格里沙漠是中国第四大沙漠，位于阿拉善地区东南部，面积约4.27万平方千米。行政区划主要属阿拉善左旗，西部和东南边缘分别属于甘肃民勤县、武威市和宁夏的中卫市。沙漠包括北部的南吉岭和南部的腾格里两部分，习惯统称腾格里沙漠。沙漠内部沙丘、湖盆、山地、平地交错分布。其中沙丘占71％，湖盆占7％，山地残丘及平地占22％。在沙丘中，流动沙丘占93％，其余为固定、半固定沙丘。腾格里沙漠引黄灌溉的绿洲沙漠有大小湖盆多达422个，而且多为无明水的草湖，面积在1平方千米～100平方千米间。湖群呈带状分布，水源主要来自周围的山地潜水。山地大部分是流沙淹没或被沙丘分割的零散孤山残丘。沙漠中有"鸣泉"，可预报地震。沙漠内部的平地主要分布在东南部。而沙漠内部无固定道路，因沙丘较小而居民点较多，故东西通道常直穿沙漠而过。沙漠内部的查汗池、红盐池和屯池等盛产食盐。沙漠中的居民以蒙古族为主，经营畜牧业，定居放牧。

●敦煌魔鬼城

敦煌雅丹地貌群落之所以被称为"魔鬼城"，是因为它的地貌形态异常诡谲；再者，这里地处戈壁沙漠大风区，每当夜幕降临之后，尖厉的漠风发出恐怖的呼啸，犹如千万只猛兽在怒吼，令人毛骨悚然。

水系

　　甘肃省河流皆发源于西南山原，呈放射状向东、西北及东南分流，大致以冷龙岭、乌鞘岭至景泰长岭山一线为界，西北部属内流区，东南部属外流区。内流区主要有哈尔腾河、疏勒河、黑河及石羊河四大水系，均源出祁连山。外流区河流分属黄河和长江两大水系。甘肃的地表水年平均径流为299亿立方米，其中黄河流域135亿立方米，长江流域106亿立方米，内陆河流域58亿立方米，人均占有量1500立方米，居中国第二十二位。甘肃的地下水天然资源总量为每年149亿多立方米。水力资源是甘肃能源中的优势资源，中华人民共和国成立后，先后在刘家峡、盐锅峡、八盘峡、文县碧口建成了4座大中型水电站，在全省还建成小水电站526座，充分满足了全省的用电需求。

☑ 黑河

　　黑河是甘肃省河西走廊中最大的河流，属于内流河。上游称甘州河，源出祁连山脉走廊南山与托来山间的分水岭，东南流经纵谷草地，至黄藏寺纳东南来的鄂博河后，转向西北，水深流急，至鹰落峡口出山。鹰落峡以北为中游，入走廊平地在张掖市乌江以北，汇山丹河转向西北流，始称黑河。高台正义峡以北为下游，经金塔盆地东端，至鼎新后有北大河由西向东来汇，复东北流，进入居延海盆地干三角洲，又名额济纳河，河道宽浅流缓。黑河主要支流有大马营河、童子坝河、民乐洪水、梨园河、马营河、丰乐河、托来河等，均源于祁连山中段，河水补给以雨水补给为主，冰雪融水次之。河流的上游山区降水丰沛，有冰川420平方千米和片状林木分布，为水源补给地，而且还是良好的牧场；中、下游地势低平，张掖、临泽、高台、酒泉和金塔诸绿洲灌溉农业发达。黑河的整个流域建成有30座百万立方米以上的水库，较大的有祁家庄、鹦哥嘴、清河湾、鸳鸯池、解放村和黑山湖等水库。

☑ 疏勒河

　　疏勒河是甘肃省河西走廊内流水系的第二大河，古名端水。源于祁连山脉西段托来南山与疏勒南山之间的疏勒脑，疏勒古河道穿哈拉诺尔至新疆罗布泊。由发源地至近期终端湖哈拉诺尔，长不过600千米，实则安西以下早已不见地面径流，仅存干河道遗迹。昌马冲积扇以西主要支流有榆林河及党河，以东主要支流有石油河及白杨河，均源出祁连山西段。疏勒河水系雨水补给减少，冰雪融水显著加大，上游祁连山区降水较丰，多高山草地，为良好牧场。中、下游地势低平，玉门镇、安西、敦煌和赤金—花海诸绿洲的灌溉农业发展迅速。全流域已建成100万立方米以上水库5座。

◔张掖境内的黑河湿地
国际湿地公约组织最新确定将地处甘肃河西走廊中段的张掖黑河湿地国家级自然保护区列入国际重要湿地名录。这是中国今年被国际湿地公约组织唯一指定的国际重要湿地，成为中国第47块国际重要湿地。

气候

　　甘肃省气候为明显的温带大陆性季风气候，大致由陇南的北亚热带与暖温带湿润区，逐渐向陇中暖温带半湿润区与温带半干旱区，河西温带、暖温带干旱区及祁连山地高寒半干旱、半湿润区，甘南高寒湿润区过渡。冬春干旱而少酷寒，夏季多暴雨而冷暖变化大，年降水量变化大。全省气温年较差和日较差均大，降水的年变化和地区变化更大，年降水量从东南的805.7毫米到西北减为36.8毫米。光照足，热量大。除陇中南部外，年日照时数达2400小时以上，河西大部逾3200小时。但不同地区有不同程度的灾害性天气。

◎疏勒河风光

自然资源

　　甘肃省矿藏、水力资源丰富，已建设成为中国著名的有色金属、石油化工、电力机械、毛纺织和核工业基地之一。金州的金属共生镍矿，皋兰铜矿，白银铝厂，兰州石油化工，毛纺，阿干镇煤矿，玉门油矿，刘家峡水电站等均很有名。甘肃位处黄土高原，属半湿润半干燥区，省内的动、植物有自己的特色，植物多以耐旱、耐盐碱的为主，如贺兰女蒿、瓣鳞花等。而动物则以植食性的并且能生存于干旱的草原或荒漠的野生动物为多。

☑ 镍、钴矿

　　甘肃省是中国最大的镍资源省及镍工业基地。已知产地5处，累计探明镍金属储量554万吨，目前保有储量约509万吨，约占中国的70%，人均占有量达247千克，是中国人均占有量的35倍。工业矿床集中产于龙首山地区，受古老地块边缘深

●硅镁镍矿

断裂控制。北山和祁连山亦发现有矿化产地。钴是甘肃省的优势有色金属。已知产地15处，保有储量14.77万吨，人均占有量7千克，是中国人均量的16倍。其中金川矿床储量约占全省总量99%。其余两处产地（康县阳坝铜矿、文县沟岭子锰矿）的保有储量仅1599吨。钴在矿床中均以类质同象分别储存于硫化铜镍矿（金川）和黄铁矿型铜矿（阳坝）的硫化物以及沉积锰矿（沟岭子）的氧化物中。

☑ 贺兰女蒿

贺兰女蒿属菊科，半灌木，是一种较耐旱的植物。高25厘米～50厘米。叶片灰绿色。花浅黄色。中国特有种。分布于甘肃、宁夏、内蒙古，生于海拔1900米～2250米处的山坡、石缝、草原或荒漠草原。

☑ 瓣鳞花

瓣鳞花属瓣鳞花科，一年生矮小草本植物，高5厘米～16厘米。叶小，常4枚轮生。花小，粉红色。瓣鳞花科有4属约90种，中国仅产1属1种。瓣鳞花是古地中海植物区系成分的典型代表。分布于甘肃、新疆、内蒙古，多生于海拔1200米～1450米处的盐化草甸中。属国家三级保护稀有种。

◉ 瓣鳞花

☑ 白唇鹿

白唇鹿是中国特有的珍贵动物，已列为国家一级保护动物。只产于青藏高原、甘肃祁连山和四川西部等较高处的开阔林地。白唇鹿是一种罕见的动物，两角伸开，身体灰褐色，下唇和吻端两边呈纯白色，故名白唇鹿。白唇鹿体型很大，身体长度超过2米，但尾巴却很短。白唇鹿生活在海拔3500米～5000米的高原山地上，以树叶、草等为食。身上有厚厚的长毛，不畏寒冷和风雪，脚蹄宽大，善于翻山越岭，是一种耐受力很强的鹿。冬天，它们结成小群，四处寻找食物充饥。白唇鹿现已很罕见，已被列入濒临绝种的动物。

☑ 藏原羚

藏原羚别名原羚、西藏黄羊、小羚羊，属牛科，国家二级保护动物。体长小于100厘米，尾长6厘米～10厘米，体重不超过20千克。雄性具角，向后弯曲呈镰刀状。耳狭而尖短，臀斑甚大，尾短，四肢纤细，蹄狭窄。背为红棕色，臀斑和腹部为白色。藏原羚是典型的高原动物，栖息在青藏高原及毗邻地区，喜欢在水源充足、坡度不大的宽谷地区活动。

🐾藏原羚

分辨藏原羚和藏羚羊最简单的方法就是看看哪个有"白屁股"——藏原羚有一块较大的白色臀斑，因此藏原羚又被当地百姓俗称为"白屁股"。藏原羚奔跑时，它那雪白的屁股在阳光照射下闪闪发光，就像身上悬挂着一面镜子，因此又俗称它为"镜面羊"。

它们一般过群居游荡的生活，2只~6只或10余只结成小群，冬季集群数量增加，有时甚至出现百只以上的大群。藏原羚性机警，听觉和视觉发达，发现敌情，疾驰如飞。食物以禾本科和莎草科植物为主。每年繁殖一次，孕期6个月左右，每胎1仔，有时产2仔，羚羊仔产后3天就可以跟着羊群奔跑。藏原羚主要分布在甘肃、青海、新疆和西藏等地。

经济

　　甘肃省在1949年以前经济、文化落后，人民多从事较原始的农牧业。20世纪50年代以后，随着境内石油、煤、铁和多种金属的开采利用，甘肃的经济得到较快的发展。此外，省内还开通多条铁路，兰州已成为西北地区铁路干线的枢纽，为经济的发展提供了交通便利，甘肃一跃成为以石油化工和有色金属冶炼为主的新兴工业基地和中国西北工业较发达的省区。农、牧、副、渔也有了相应的发展。

☑ 农业

　　甘肃土地辽阔，自然条件复杂多样，草场资源较丰富，并有一定面积的天然森林，但降水量少而且变化大，干旱是农业生产的主要威胁，农业以旱作为主，全省约有耕地353.2万公顷，占土地总面积的7.8%。耕地中约有75%为旱地，水浇地及水田约占25%。农作物以粮食作物为主，小麦、玉

◉山丹军马场

甘肃军马场位于张掖山南部祁连山下的大马营草滩，拥有草原百万亩，是中国历代最大的皇家马场。这里水草肥美，早在3000多年前，中华民族的祖先就在这里蓄养军马，中华人民共和国成立后，在此重建中国人民解放军山丹军牧场，现为兰州山丹军马总场，并已成为亚洲第一大马场。

◉祁连山下的油菜花田

米、马铃薯及糜、谷5种高产抗旱粮食作物占全省粮食作物播种面积和粮食总产的80％和82％。其中小麦分布最广，东南部以冬小麦为主，西北部则以春小麦居多。秦岭以北多为耐旱的糜子和谷子。陇南则以玉米和薯类为主，甘南高原多青稞。陇中黄土高原为旱农区。有太子山、马衔山、陇（关）山及子午岭等天然及次生林区。从南至北，由冬麦、玉米、高粱二年三熟逐渐向春麦、夏杂粮、马铃薯、糜谷一年一熟地带和半农半牧区变化。中南部河谷川塬为全省产粮中心；中北部梁峁沟壑众多，农业上广种薄收，水土流失及旱灾严重。甘肃草原面积居中国第五位。全省约有草原面积1366.7万公顷，占土地总面积的30.1％。农区还有宜牧的草山和草坡466.7万公顷。草原类型丰富，主要产牦牛、黄牛、犏牛、马、羊等。甘南、河西及陇中北部为省内主要牧场，是中国重要牧区之一。尤其是少数民族聚居地，历来以牧为主，或半农半牧。甘南高原的河曲马、欧拉羊为中国有名的优良牲畜品种。

☑ 工业

甘肃省工业以重工业为主，其中以石油、化工、有色金属和机械工业等基础较好，并在中国工业体系中占有重要地位。其次，电力、煤炭、钢铁和建材等工业部门也很有优势。甘肃石油开采较早，石油河中游的玉门（老君庙）油田是中国最早的石油工业基地，陇东的庆阳城则为长庆石油产地的中心。炼油工业以兰州为主，主要生产多品种、高档的石油产品。化学工业则以生产化纤及化肥等为主，所产合成橡胶量居中国首位。机械工业主要生产石油化工、矿山勘探及采掘、通用机器等多种工业机械和铁路车辆、汽车修造等交通运输机械以及农业机械等。省境内的有色金属矿

● 酒泉卫星发射中心

酒泉卫星发射中心又称东风航天城，在远离甘肃酒泉300千米一个名叫湖西新村的地方。这里地处甘肃、内蒙古交界之处的巴丹吉林沙漠西部。酒泉是古丝绸之路上中国西北地区一座有着悠久历史的名镇。但酒泉真正闻名世界，是因中国第一个卫星发射场建在那里。中国第一枚导弹、第一颗卫星、第一枚运载火箭、第一艘飞船，第一个航天员也是从那里飞向太空。

藏资源十分丰富，已探明的有色金属矿藏达60处，其中大型、特大型矿床有9处。矿藏中的镍、钴等13种金属的储量居中国首位。其中氯化稀土元素综合生产能力居世界第三位。白银（铜、铅、锌、铝）、金川（镍、铜、钴及铂族元素）、靖远（稀土）、西成（矿产品）为甘肃的四大有色金属生产基地。电力工业以兰州及其附近地区的规模较大。

☑ 交通

甘肃近代交通落后，与东部各省联系甚为不便。20世纪50年代以来，甘肃的铁路、公路及航空运输发展迅速，逐步形成以兰州为中心的现代化陆、空交通网。铁路运输主要有天兰、兰新、包兰、兰青等4条干线和甘（塘）武（威）线、宝（鸡）成（都）线、兰（州）长（征）线、兰州—小川线等市郊支线，联系着省内重要城市及邻近省区，组成甘肃省交通运输网的骨干。兰州已成为中国西北铁路交通的枢纽，并且还成为中国规模最大的伸长式铁路枢纽。主要公路有西（安）兰（州）、甘（肃）新（疆）、兰（州）青（海）、华（家岭）双（石铺）、兰（州）郎（木寺）等干线，分别与陕、新、宁、青、川等省区相连。航空运输也以兰州为中心，有通往北京、成都、上海、乌鲁木齐、西宁、广州等大城市的航线，还有通往省内的酒泉、敦煌、庆阳、天水等地的班机。

◉兰州黄河铁桥

兰州黄河铁桥俗称"中山桥"，位于甘肃省兰州市滨河路中段北侧，至今已有100多年历史，是5640千米黄河上的第一座真正意义上的桥梁，因而有"天下黄河第一桥"之称。

旅游地理

　　悠远的历史是甘肃省最重要的旅游优势，丝绸之路是全省旅游的主题，并以此与邻近省区紧密协作开辟了多条旅游线路。汉代之后随着丝绸之路的打通，中国的四大发明、生产技术和丝绸、陶瓷、铁器等输往西方，西方和印度的天文学、数学、宗教和宝石、香料、棉花等传入中原，在此遗留下的城镇、关隘、长城、寺庙、石窟，成为今天旅游的胜地。武威雷台汉墓出土的富有浪漫主义色彩的艺术珍品踏飞燕铜奔马，被作为中国旅游的标志。甘肃又被称为"石窟艺术之乡"，其杰作敦煌莫高窟启发了艺术再创造的灵感。甘肃高原雄浑，山地险峻，也有黄河之滨水车转动的陇上江南和水草丰美的牧场。十余个民族各有特色的民族文化与其所在地的自然风光有机结合，构成了甘肃丰富多彩的旅游环境。

☑ 黄河石林

　　黄河石林北距景泰县城70千米，西南距兰州136千米。北临黄河干流龙湾河曲，南接连绵不断的侵蚀丘陵，黄河由东向西流过。区内陡崖凌空，造型千姿百态。石柱、石笋的相对高度一般在80米～200米之间。据专家评定：甘肃黄河石林集中国地质地貌之大成，组合优异、动静结合，属国内罕见、西北独有，堪称"中华自然奇观"，是一处极具开发价

⊙黄河石林饮马沟景色

经过岁月的变迁和雨水的侵蚀、河水的冲刷，饮马河大峡谷两边形成了黄色砂砾岩为主的坚硬峭壁。这些峭壁又变换成为沟壑纵横的万重山谷，气势磅礴。

值的自然生态旅游景区。在这里，挺拔伟岸、牵人心魄的峡谷石林，与迤逦绵延、荡气回肠的黄河曲流山水相依，刚柔互济；古朴润泽的龙湾绿洲，与豪放的坝滩戈壁隔河而望，两种环境对比鲜明，反差强烈。

☑ 崆峒山

崆峒山位于平凉市西部。主峰马鬃山周围有山峰数十座，皆为石质险峰，山势雄伟，奇峰叠嶂，巍峨壮丽。崆峒山背负关山，面临泾水，既有北国群山之雄，又有南方山色之秀，自古以来就是避暑胜地。崆峒山是一座著名的历史名山，古代典籍早有记述。《史记》记载，中华民族的始祖轩辕黄帝曾"东至于海，登丸山及岱宗；西至于空桐，登鸡头"。秦始皇统一中国后的第二年巡视西北时曾到崆峒。汉武帝在元鼎五年（前112）曾"登崆峒以望祖历"。《庄子》还记述："黄帝立为天子十九年，令行天下，闻广成子在崆峒山之上，故往见之。"黄帝专程到崆峒山问道于隐居石室中的上古道

◉崆峒山

崆峒山以峰为骨，以林为肉，山峰雄伟，林海浩瀚。古人评价"崆峒山水甲于关塞"，又评价"有北方山势之雄，又兼南方山色之秀"。春观桃花，秋赏红叶，夏天翠绿，冬秀银装。四秀都有美景。特别是忽而烟笼雾锁，时而云海飞瀑，朝观日出，夕望残阳，都给人以无限享受。

张掖丹霞

张掖丹霞地貌、彩色丘陵作为一种特殊的山岳风光资源，有着与众不同的风格，顺梨园河沿路观赏，移步换景，绵延数千米，处处引人入胜，美不胜收。

家仙人广成子的传说，几千年来一直广为流传，崆峒山也因此成为中国道教圣地。这里有貌似卧虎的卧虎岭，有状如猛狮的狮子岭，有丹凤展翅之凤凰岭，有游龙戏水似的龙吸水，有高耸入云的天台山，有满山松林的苍松岭，还有聚仙桥、仙鹤祠、舍身崖、一线天、雷声峰、棋盘岭、广成丹穴等一系列胜迹。目前崆峒山的名胜古迹有120多处，主要景观区面积约8平方千米，以其特有的俊秀山色和奇异风景吸引着中外游客。

☑ 张掖丹霞

发育于甘肃省张掖市境内祁连山山麓的丹霞地貌与彩色丘陵，是一处极为罕见的地质奇观。位于肃南裕固族自治县白银乡和康乐乡及临泽县倪家营乡交界处，东西长40余千米，南北宽10余千米，总面积529平方千米。该丹霞地貌有窗棂状、宫殿状、柱廊状、泥乳状、叠板状、陡斜状和蜂窝状七大类型。其既有南方丹霞之秀美，又有北方雅丹之雄浑；与之相映成趣的彩色丘陵色彩斑斓、绚丽多

姿、气势宏大。这两种奇特的地貌景观相互衬托，成为国内独特的地质遗迹，具有极高的观赏价值和重要的科研价值。2012年，经国土资源部批准正式设立为国家地质公园。

☑ **麦积山**

麦积山地处天水市麦积区中南部，海拔在1400米～2200米之间，总面积130余平方千米。这里群山起伏，山势陡峻，林木茂密，细流潺潺，风景秀丽，历来为"秦地林泉之冠"。这里夏无酷暑，气候宜

◉ **麦积山**

麦积山现存大小窟龛编号为194个，分布在南崖的有54个，西崖140个，除少数窟龛已空无一物，计保存有从公元4世纪末叶到19世纪一千四五百年间的泥塑、石雕7800余尊，既有高达二十几米的巨像，又有十几厘米的小像。现藏壁画1300多平方米。

●麦积山石窟七佛阁佛像

七佛阁位于东崖三大佛上方最高处，距地高约70米，为麦积山规模最大，位置最高的石窟，也是最辉煌壮观的殿堂式大窟。窟内原塑一佛二弟子六菩萨或一佛八菩萨像，历经唐、宋、元、明不断修缮，造像已非初始原貌。诸龛外部浮雕帐幔帷幕上饰火焰纹、宝珠、鳞片网络花饰及流苏等。显得十分华丽壮观。龛与龛之间有石胎泥塑。

人，是避暑游览的胜地。麦积山风景区包括麦积山、仙人崖、石门3个风景点。麦积山是西秦岭山脉小陇山中的一座孤峰，高142米，形如农家麦垛，故名麦积山。举世闻名的麦积山石窟就开凿在这座奇峰的崖壁上。两崖绝壁上，分布着194个洞窟。麦积山周围还有莲花山、僧帽山、香积山、罗汉崖、雕巢峪等奇山异景，层峦叠翠，幽胜无比。仙人崖，位于天水市北道镇东南45千米处，这里群峦叠嶂，奇峰突兀，树木成林，鸟语花香，恍如仙境。相传这里常见神仙出没，故名仙人崖。仙人崖群峰竞秀，风景绮丽，甘泉清洌，为陇南著名的风景胜地。石门山，位于天水市北道镇东南50千米处，因其峰峦俊秀，雄险清幽，被誉为"甘肃的小黄山"。石门山主要有斗姆、兴龙、黄龙、玉灵、麒麟五峰，黄天峰和斗姆峰壁立对峙，聚仙桥横跨二峰，景象不凡，"石门夜月"之景尤为诱人。

现山上保留明、清古殿宇20余座，塑像20余尊。

☑ 鸣沙山——月牙泉

丝绸之路上，经过敦煌重镇，有一处自然奇观必令你驻足，那就是绝妙的鸣沙山与月牙泉。鸣沙山连绵起伏，山如虬龙蜿蜒，金光灿灿，宛如一座金山。鸣沙山怀抱一泓月牙形的清泉，泉水碧绿，如翡翠般镶嵌在金子似的沙丘上。泉边芦苇茂密，微风起处，碧波荡漾，水映沙山，蔚为奇观。鸣沙山曾被称为"沙角山"。当天气晴朗时，沙鸣有声，如雷轰响，闻于城内。"鸣沙山"之称由此而来。游人攀上沙丘，由山顶往下滑，沙砾随人体落下，也会发出一阵阵轰响，近闻如兽吼雷鸣，远听如神声仙乐。自古人们将这一景观传为一奇。对于月牙泉在沙丘中经百年烈风但并不被沙掩盖的不解之谜，有许多说法。有人认为，这一带可能是原党河河湾，是敦煌绿洲的一部分，由于沙丘移动，水道变化，遂成为单独的水体。而且因为地势低洼，渗流在地下的水不断向泉中补充，使之涓流不息，天旱不涸。这种解释似可看作是月牙泉没有消失的一个原因，但却无法说明因何飞沙未能淤塞月牙泉。

☑ 敦煌莫高窟

敦煌莫高窟是甘肃省敦煌市境内的莫高窟、西千佛洞的总称，是中国著名的四大石窟之一，也是世界上现存规模最宏大、保存最完好的佛教艺术宝库。莫高窟位于敦煌市东南25千米处，开凿在鸣沙山东麓断崖

◎鸣沙山月牙泉

鸣沙山下的月牙泉，南北近100多米，东西宽约25米，像镶嵌在茫茫沙漠中的宝玉，清澈的湖水，平静的湖面，令人流连忘返。

●敦煌莫高窟

举世闻名的敦煌莫高窟也称千佛洞，有着许多大大小小、高低错落的洞窟，它们都分布在由砾岩组成的长约2000米的峭壁上。莫高窟是中国伟大的艺术宝库，其规模宏大，就像一颗灿烂的明珠镶嵌在古丝绸之路上。

上，南北长约1600多米，上下排列五层，高低错落有致、鳞次栉比，形如蜂房鸽舍，壮观异常。前秦苻坚建元二年（366）有沙门乐尊者行至此处，见鸣沙山上金光万道，状有千佛，于是萌发开凿之心，后历建不断，遂成佛门圣地，号为敦煌莫高窟，俗称千佛洞。莫高窟虽然在漫长的岁月中受到大自然的侵袭和人为的破坏，至今仍保留有从十六国、北魏、西魏、北周、隋、唐、五代、宋、西夏、元等10个朝代的洞窟500个，壁画4.5万多平方米，彩塑像2000多尊，是世界现存佛教艺术最伟大的宝库。莫高窟是古建筑、雕塑、壁画三者相结合的艺术宫殿，尤以丰富多彩的壁画著称于世。敦煌壁画容量和内容之丰富，是当今世界上任何宗教石窟、寺院或宫殿都不能媲美的。若把壁画排列，能伸展30多千米，是世界上最长、规模最大、内容最丰富的一个画廊。环顾洞窟的四周和窟顶，到处都画着佛像、飞天、伎乐、仙女等，还有各式各样精美的装饰图案等。"它是世界现存佛教艺术最伟大的宝库"。1987年12月，敦煌莫高窟被联合国教科文组织列入《世界遗产名录》。

☑ 炳灵寺石窟

炳灵寺石窟位于甘肃省永靖县黄河山岸的积石山峭壁上，包括上、下二寺和两寺之间的洞沟3部分，上下4层，高低错落，气势雄伟。下寺建于北魏延昌二年（513），上寺建于唐代，洞窟开凿于西秦建弘元年（420），距今已有1500多年的历史。第169窟中有西秦建弘元年墨书题记和精美的西秦造像与壁画，为中国石窟中最早的纪年，对探索中国石窟艺术的源流和发展，都具有

●炳灵寺石窟

十分重要的意义。此后，在北魏、西魏、北周、隋、唐、元、明等朝都不断有新窟营建或修葺。现存窟龛183个，造像776尊，壁画约900平方米，大型摩崖石刻四方，石碑一通，墨书及石刻造像题记六方。石雕构思奇巧，雕镂精美，壁画色泽鲜艳，具有很高的历史和艺术价值。

☑ 玉门关故址

玉门关故址位于甘肃省敦煌市城西北80千米的戈壁滩上。它与酒泉的玉门关是两个地方，相传"和田玉"经此输入中原，因而得名。它是古代"丝绸之路"北路必经的关隘。现存的城垣完整，总体呈方形，东西长24米，南北宽26.4米，高9.7米，全为黄胶土筑成，面积633平方米，西墙、北墙各开一门，城北坡下有东西大车道，是历史上中原和西域诸国来往及邮驿之路。

☑ 锁阳城遗址

锁阳城位于安西县

城东南40千米处的戈壁滩上，主城近似正方形，南北长470米，东西宽430米。除主城外，还有4个瓮城，城的四周还筑有若干用以加固城郭的马面。现在虽已废弃，但城垣仍然存在，高约9米，宽约5米，全为黄土夯筑而成。西城内有一口深约1.56米的水井，水深达1米左右。据说是唐代薛仁贵西征途中被困在此城时挖的，井旁有两棵老柳树，传为唐人所栽。虽然锁阳城准确的建城年代无从考证，但从城中发掘出的开元通宝等唐代器物断定，城的始筑年代当不晚于盛唐。据传说，此城原名"苦峪城"，后因唐代名将薛仁贵征西时缺粮以当地盛产的药用植物锁阳充饥而更名锁阳城。

☑ 明长城遗址

明长城遗址是甘肃境内存留最长、最完整、最宏伟的长城遗迹。位于甘肃境内，西起嘉峪关，经酒泉、高台、临泽、张掖、山丹、永昌、民勤、武威、古浪、景泰等地，南过黄河，在靖远县境内沿黄河南岸延伸，一直到黑山峡，在山峡口进入宁夏。甘肃境内的长城全长约1000千米，城墙高10米，底厚5米~6米，顶宽2米。每隔5千米设置烽火台，烽火台紧靠长城内侧，远远望去，绵延无尽，十分壮观。遇隘口、山口、河口均在长城外筑有望台。嘉峪关、山丹、永昌、古浪等市县境内都有保存完整的望台。甘肃境内的明长城，全用黄土夯筑，有的地段夯土层间夹藏木桩、杂草或沙石夯实。甘肃境内的明长城突出的一点是关城众多，而且建筑精致，最具代表性的是有"天下雄关"之称的嘉峪关城楼。

☑ 武威文庙

　　文庙位于甘肃中部武威城区东南隅，坐北向南。始建于明正统二年（1437），后经重修扩建。庙内松柏参天，清幽恬静。文庙总面积约1500平

● 悬壁长城

悬壁长城位于嘉峪关关城北8千米处石关峡口北侧的黑山北坡。明嘉靖十八年（1539），为了加强嘉峪关的防御，肃州兵备道李涵在暗壁以外，峡南侧的山头上开始，监筑了一条长15千米的片石夹土墙。

方千米，由东西两组建筑群构成。主建筑分东西两组。西以大成殿为中心，前有泮池、状元桥，后有尊经阁，中为棂星门、乾门，左右有名臣乡贤祠和东西二庑。大成殿是文庙的正殿，面宽3间、进深3间，重檐歇山顶，顶置9脊，鸱吻螭兽俱全。脊皆以缠枝莲纹砖砌筑，正脊中设桥形火球。屋面尽覆琉璃筒板瓦。棂格隔扇、腰华板、裙板等皆有简单雕饰。周围绕以回廊、高台基，具庄重、肃穆、文雅之风韵；东以文昌祠为中心，前有山门、后有崇圣祠，整个建筑布局对称，结构严谨，庙堂外松柏参天，碑石林立，具有中国古代建筑庄严雄伟肃穆文雅之风韵，是目前甘肃省规模最大、保存最完整的一处古建筑群。武威是河西四郡之一，是"丝绸之路"的必经重镇，长期频繁的中外交流，在这里留下了极为丰富的文物古迹。这些文物古迹现都陈列在文庙之内，共计3.3万多件。文庙是甘肃省保护较完整的古建筑群，有"陇右学宫之冠"的美称，现为武威市博物馆所在地。

☑ 嘉峪关关城

　　嘉峪关关城在嘉峪关市区西南6千米处，位于嘉峪关最狭窄的山谷中

部，城关两侧的城墙横穿沙漠戈壁，北连黑山悬壁长城，南接天下第一墩，是明代万里长城最西端的关口，自古为河西第一隘口。关城始建于明洪武五年（1372），因其地势险要、建筑雄伟，故有"天下第一雄关""连陲锁钥"之称。它由内城、外城、城壕三道防线组成重叠并守之势，形成五里一燧，十里一墩，三十里一堡，一百里一城的军事防御体系。并且城中有城，城外有壕，多道设防，重城并守。西侧罗城向南有"明墙"延伸至祁连山下，向北"暗壁"隐伏至黑山半山腰，明墙暗壁相合，形成关城的西城墙。两边高山与峡谷对峙，关城居其中有"一夫当关，万人莫开"之势。现在关城以内城为主，城高10.7米，以黄土夯筑而成，西侧以砖包墙，雄伟坚固。内城有东西两门，东为"光化门"，意为紫气东升，光华普照；西为"柔远门"，意为以怀柔而致远，安定西陲。在两门外各有一瓮城围护，嘉峪关内城墙上还建有箭楼、敌楼、角楼、阁楼、闸门楼共14座。嘉峪关关城是长城众多关城中保存最为完整的一座。

☑ 拉卜楞寺

拉卜楞寺位于甘肃夏河县城西1千米处的扎喜奇滩地，寺院就坐落在滩地上。清康熙四十八年（1709）始建，是中国喇嘛教格鲁派（黄教）六大寺之一。寺院规模宏伟，占地约86.8万平方米，建筑面积40余万平方米。原有6

⚫拉卜楞寺全景

拉卜楞寺坐落于凤山和龙山形成的"聚宝盆"盆底，寺院规模宏大，有主要殿宇近百座，曾是甘、青、川交界地区藏族政治、宗教、文化中心。

大扎仓（学院）、18囊欠（活佛公署）、18拉康（佛寺），并且金塔、辩经坛、藏经楼、印经院等建筑遍布山腰以上，崇楼峻宇，金瓦朱甍，墙垣均为红、黄色，寺顶四隅立铜质镏金宝瓶，飞檐描金错彩，华丽非凡。现拥有经堂6座、佛殿84座、藏式楼31座，佛宫30处，经轮房500间以及各种寺塔和僧舍等。其中寿禧寺为六层宫殿式建筑，为全寺最高处，内供铜佛像1尊，大经堂为全寺最大建筑，前几年因失火烧毁，后又修复。藏经楼是经文荟萃之地，现藏书6.5万多卷。

青海省

行政区划

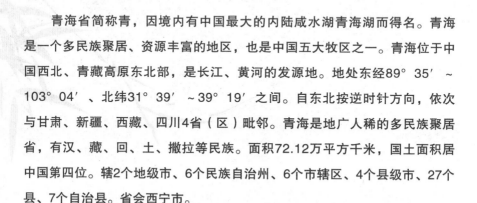

　　青海省简称青，因境内有中国最大的内陆咸水湖青海湖而得名。青海是一个多民族聚居、资源丰富的地区，也是中国五大牧区之一。青海位于中国西北、青藏高原东北部，是长江、黄河的发源地。地处东经89°35′～103°04′、北纬31°39′～39°19′之间。自东北按逆时针方向，依次与甘肃、新疆、西藏、四川4省（区）毗邻。青海是地广人稀的多民族聚居省，有汉、藏、回、土、撒拉等民族。面积72.12万平方千米，国土面积居中国第四位。辖2个地级市、6个民族自治州、6个市辖区、4个县级市、27个县、7个自治县。省会西宁市。

青海省行政区划简表

行政区	面积（平方千米）	下辖行政区
西宁市	7649	城中区、城东区、城西区、城北区、大通回族土族自治县、湟中县、湟源县
海东市	13160	乐都区、平安区、民和回族土族自治县、互助土族自治县、化隆回族自治县、循化撒拉族自治县
海北藏族自治州	39354	海晏县、祁连县、刚察县、门源回族自治县
黄南藏族自治州	17921	同仁县、尖扎县、泽库县、河南蒙古族自治县
海南藏族自治州	44546.21	共和县（恰卜恰镇）、同德县、贵德县、兴海县、贵南县
果洛藏族自治州	76312	玛沁县（大武镇）、班玛县、甘德县、达日县、久治县、玛多县
玉树藏族自治州	188794	玉树市（结古镇）、杂多县、称多县、治多县、囊谦县、曲麻莱县
海西藏族蒙古族自治州	364785	德令哈市、格尔木市、茫崖市、天峻县、都兰县、乌兰县

☑ 西宁市

　　西宁市为青海省辖市，省府驻地，是全省的政治、经济、文化、科技、交通中心，主要的工业基地。西宁位于省境东部，湟水中游河谷盆地。面积7469平方千米，常住人口235.5万（2017），以汉族为多，有回、土、藏族等少数民族，其中回族占16.26%，土族占2.6%。西宁的矿藏有煤、石英石、石灰石、石膏等。工业以化工、冶金、建材、纺织、机械为主导。西宁境内有青海铝厂、大通矿务局、桥头火力发电厂、西宁钢厂以及毛纺厂、棉纺厂等大型企业。农业以小麦、马铃薯、蚕豆、油菜、蔬菜种植为主。牧业以饲养牛、羊为主，西宁毛驰名中外。在交通方面，兰（州）青（海）、青藏铁路、公路过境，西（宁）大（通）铁路和西（宁）张（掖）公路穿境，

◉西宁夜景

西宁机场可供大型客机起降，已开通多条航线。境内有省级文物保护单位27处，其中有马家窑卡约文化遗址、马场齐家文化遗址、辛店文化遗址和南凉王修建的虎台遗址等13处。市区内还有始建于明代的东关清真大寺，是中国西北四大清真寺之一，具有中国古代宫殿式建筑风貌。

☑ 格尔木市

格尔木原称噶尔穆，是蒙古语"河流众多"之意。格尔木市为青海海西蒙古族自治州辖市，也是国家的钾肥生产基地和省盐化、石化工业基地。位于州境南部，西接新疆维吾尔自治区，南与西藏自治区毗邻。面积12.6万平方千米，常住人口24.05万（2017），居民以汉族居多。属高原大陆性气候，气候干燥、寒冷、多风。青藏铁路、公路，青新公路、敦格公路纵横交会，格尔木市已成为南通西藏、北达河西走廊、西去新疆、东至西宁的交通枢纽。格尔木机场有航线可通航至拉萨、西宁、西安。市内有"万丈盐桥""江河冰川""海市蜃楼"等自然景观，尤其是万丈盐桥全长32千米，路基、路石均为盐土，稀世罕见。

● 格尔木炼油厂

青海油田公司格尔木炼油厂位于南昆仑北祁连的青藏高原柴达木盆地，1986年11月经国家计委批准立项，1991年开工建设，1993年建成投产。厂区占地面积153.58公顷。目前原油加工能力为150万吨/年，主要有150万吨/年常减压蒸馏装置、90万吨/年重油催化裂化装置、30万吨/年甲醇装置等18套炼油化工装置，以及相应的水、电、汽、风、路、讯、储运等配套设施。

人口、民族

青海省为多民族聚居省，截至2017年底，常住人口为598.38万。全省人口密度低，平均每平方千米不足8人，而且人口的地区分布极不平衡，以西宁市和海东市人口较为密集，平均人口密度每平方千米为172人。牧区6州土地面积虽占全省的97%以上，但平均人口密度每平方千米不足3人。青海的少数民族较多，主要有藏族、回族、土族、撒拉族、蒙古族等。少数民族多从事以游牧为主的畜牧业生产，兼营饲养业。

☑ 撒拉族

撒拉族有人口13.0607万（2010），主要聚居在青海省循化撒拉族自治县、化隆回族自治县甘都乡和甘肃省积石山保安族东乡族撒拉族自治县。撒拉族自称"撒拉尔"。"撒喇族""撒拉回"等是其自称的不同音译简称。撒拉族是元代经新疆迁入循化一带的中亚撒马罕人与周围的藏、回、汉、蒙古等族长期相处，互相融合，逐渐发展而成的。撒拉族有自己的语言，撒拉语属阿尔泰语系突厥语族西匈语支；无本民族文字。撒拉族居住在地处黄河沿岸的循化地区，主要从事农业生产，种植小麦、青稞、荞麦、土豆等农作物。

◉ 来自中亚的撒拉人

青海由于地处中西交通的通道上，因此不断地有来自西方的民族进入青海。现今青海的撒拉族700多年前来自中亚的撒马尔罕（乌兹别克斯坦），他们信仰伊斯兰教。如今大部分定居在青海循化撒拉族自治县。撒拉族独特的文化绵延至今，尤其婚姻习俗富有特色。这是循化的一户人家，照片中展示的是一次婚礼的嫁妆。

●制作手抓羊肉的土族阿姑

土族的蔬菜较少，主要有萝卜、白菜、葱、蒜、莴笋等10余种。他们平日多吃酸菜，辅以肉食，爱饮奶茶，吃酥油炒面。每逢喜庆节日，土族人民必做各种花样的油炸食品和手抓大肉（猪肉）、手抓羊肉。

☑ 土族

　　土族有人口28.9565万（2010），主要聚居在青海省互助土族自治县和民和、大通、同仁等地，还有一部分居住于甘肃省天祝藏族自治县。土族有自己的语言，语言属阿尔泰语系蒙古语族，分互助与民和两种方言。过去，各地土族有多种自称，中华人民共和国成立后，依本民族意愿，统一称为土族。其族源，因无系统的文字记载，故至今尚无定论。过去地方志书中有几种推断性说法：①主要是鲜卑（中国古代民族）支系吐谷浑人后裔；②主要是沙陀突厥（中国北方古代民族）后裔；③主要是蒙古族后裔。此外，还有源于阴山白鞑靼说和源于元代蒙古驻军与当地霍尔人融合而成说等。土族主要从事畜牧业和农业，尤其精于养牛。种植的农作物主要有小麦、青稞、土豆等。

历史文化 ✈

青海省具有悠久的历史，是个多民族聚居的地方，早在远古时代，就有人类在此繁衍生息。在旧石器时代晚期，青海高原上就有了古代人类活动的足迹。到新石器时代晚期，古代居民在这片土地上创造了辉煌灿烂的彩陶文化。大通县上孙家寨出土了大量的新石器时期舞蹈纹彩陶盆，内壁绘有3组5人连臂舞蹈图。乐都县高庙发掘的氏族公墓群，出土了大量绘制生动、图案丰富的彩陶器。世代居住在青海的各族人民，在长期的生产劳动和社会生活中，创造了光辉灿烂的文化艺术。随着历史的变迁和时代的更替，各民族的努力奋斗，民族间的相互交融不断深入，具有浓郁民族特色、丰富多彩的青海高原文化逐渐形成。青海一向被人们称为"歌的海洋，舞的王国"。

☑ 喇家遗址

喇家遗址位于青海省民和县官亭镇下喇家村，地处黄河上游的民和县官亭盆地。遗址距离官亭镇1千米，坐落在黄河北岸二级阶地前端，是一处新石器时代的齐家文化遗址。喇家遗址发掘的重要性在于对齐家文化研究的

● 喇家遗址雕塑

这个雕塑位于喇家遗址陈列馆右侧，雕塑家完美地再现远古时期，一位母亲面对突如其来的灾难时的瞬间反应：她的目光无比惊悸地望着苍穹，紧紧搂抱着一位孩童。她保持着前倾的姿态，不惜以自己的血肉之躯让孩子幸存下来。

重大突破；又是史前时期大地震自然灾害的重要证据；为探索黄河上游地区文明起源和早期发展提供了新资料。2000年5～9月，考古队对喇家遗址进行了正式发掘。初步的钻探调查得知遗址东西长500米，南北宽400米，总面积约20万平方米。根据发掘地点的不同，考古队将整个遗址划分为7个小区。当年的发掘主要集中在第Ⅱ区，同时也对第Ⅲ、Ⅳ和Ⅶ区进行了零星发掘。发掘面积为500余平方米。在发掘中，共清理出房址7座、墓葬两座、灰坑15座，出土陶器、玉器、石器、骨器共计255件。这次正式发掘，不仅探明喇家遗址是一个具有宽大环壕的大型聚落遗址，在聚落内分布着密集的白灰面房址；在对房址的发掘中还发现了人骨遗骸，从而揭示出前所未有的灾害遗迹。

☑ 柳湾彩陶与原始文化

彩陶文化是青海原始文化的代表之一，以乐都柳湾出土的彩陶数量居多。1974年，考古专家在青海乐都县东17千米的柳湾，发现了埋藏在深土中的新石器时代的彩陶和墓地，墓中随葬的陶器彩陶所占的比例较大，而且彩陶的花纹多种多样，最有代表性的花纹是左右连作的大圆圈纹和不同姿态的简笔蛙纹。出土文物有马家窑文化的半山类型、马厂类型，也有齐家文化和辛店文化，其中以与马厂类型的数量居多，在挖掘的彩陶中尤以"阴阳合体壶"最为引人注目。它反映了人类文明史上由女性崇拜走

⬤ 浮雕裸体人像彩陶壶

这件彩陶壶上的浮雕人像和神人纹，是人和神的共同体的两种不同形式的表现，堪称原始艺术的瑰宝。浮雕裸体人像彩陶壶的发现和发表，引起了考古界的轰动，也引起了一番争论。

向男性崇拜的过渡阶段——男女性同时崇拜。众多精品彩陶中，让人看到了原始文化的一个方面。

☑ 宗喀巴及其创立的黄教

宗喀巴（1357—1419）是藏传佛教善规派开创者，享誉世界的杰出的佛学家、哲学家、思想家和宗教改革家。原名罗桑扎巴，是今青海湟中县鲁沙尔一带宗喀部落罗本格娃之子，7岁入峡峻寺念经，17岁到拉萨求经。在藏卫各地访师问道20余年。他对原先各派重视口传"密宗"、不习"显宗"、不重视戒律、生活腐化等情况感到不满，立志要改革喇嘛教，并得到大封建主

◎宗喀巴大师唐卡

的支持。他主张先"显"后密，严格戒律，禁止喇嘛娶妻，形成一个新的教派，即格鲁派。因多戴黄帽，又称黄教。他的主张得到了明王朝的欣赏。黄教势力逐渐扩大，并修建了一些寺院。黄教实行灵童转世制度。16世纪蒙古俺答汗率部进入青海，在青海湖西修建仰华寺。"达赖"为蒙语，意为"大海"，这是"达赖喇嘛"名号的开始。在俺答汗的大力支持下，青海的蒙古族、藏族，广泛地信奉了黄教。

☑ 玛尼石城

在青藏高原上，到处可见到大大小小的、刻有藏文六真言和藏文佛经的石块，那就是玛尼石。尤其是在"拉则"等地方保护神尊奉处，人们将这些玛尼石堆集在一起，形成了独特的石书。在青海南部玉树结古镇东边不远处的新寨村，从"门巷"走进"城"中，只见除了几条人行道外，全是玛尼石堆，而且垒得非常整齐，经文佛像一律朝人行道。石头上刻的字体五花八门，显然出自千千万万不同信徒的手。一般刻的大多是六字真言。来自不同地方的佛教徒不仅口头念，还用刀刻在石上，送到玛尼堆，算是完成了一件公德。无数玛尼石摆在一边，就成了一堵石经长城。这是一座算得上世界纪录的玛尼石城，面积足有三个足球场大，大约共有25亿块石经，而凿刻垒叠成这座城用了200年时间。新寨的玛尼石城是藏族宗教、民俗的精华。

⊙玛尼石城

地貌

青海省地处青藏高原东北部，深居内陆腹地，面积广大，地形复杂，地势高耸，高低悬殊，形成独特的自然环境。受地质构造的控制和新生代喜马拉雅运动的影响，自第三纪末开始，青海地势不断抬升，在运动过程中形成丘陵、盆地、高原、谷地交错分布的格局，全省平均海拔在3000米以上。青海的地形是山多峰高，地势由西向东和由南向北逐渐降低，昆仑山横贯全省；最高点为西部青、新交界处的昆仑山主峰布喀达坂峰，海拔6860米，最低点则为东部民和县下川口湟水出境处，海拔1650米。省境北部为祁连山—阿尔金山山地。阿尔金山脉位于当金山口以西，由一系列山岭与谷地组成，平均海拔3600米～4000米，是柴达木盆地和塔里木盆地的界山，祁连山地位于甘、青交界处，由数列呈北西—南东走向的平行山岭和谷地组成，山地西段和中段地势高峻，许多山峰均在现代雪线海拔4000米以上，这些山峰多为永久积雪和冰川所覆盖。

☑ 柴达木盆地

柴达木盆地是中国三大内陆盆地之一，属封闭性的巨大断陷盆地。柴达木盆地位于青海省西北部，四周被昆仑山脉、祁连山脉与阿尔金山脉所环抱，盆地基底为前寒武纪结晶变质岩系，它的形成可上溯至海西运动，普遍沉降发生在早侏罗纪之后，盆地东南沉降剧烈，冲积与湖积平原广阔，盆地内湖泊水质多已咸化。柴达木盆地属高原大陆性气候，以干旱为主要特点，盆地内的自然景观为干旱荒漠，主要土类为盐化荒漠土和石膏荒漠土，盆地内部的草甸土、沼泽土一般都有盐渍化现象。植被稀疏，种类单纯，以具有高度抗旱能力的灌木、半灌木和草本为主，盐生植物较多。柴达木盆地动物区是具有蒙新区向青藏区过渡的特征。野生动物主要有野骆驼、野驴、野牦牛、黄羊、青羊、旱獭、狼、马熊、獐、狐、獾等。由于垦殖和捕猎，目前

● 柴达木盆地

由于柴达木盆地自然景观为干旱荒漠，主要土类为盐化荒漠土和石膏荒漠土，故而植被稀疏，种类单纯。在夏季，由于盆地两侧高山的雪山融水下泄，故此在山麓洪积扇和冲积—洪积平原上生长着勃氏麻黄、梭梭和红砂灌木所组成的荒漠植被群落。照片中的就是柴达木盆地洪积平原的植被。

野生动物大为减少，有的濒于绝迹。素有"聚宝盆"之称的柴达木盆地，现已探明矿点200余处，计50余种，其中盐、石油、铅锌和硼砂储量尤为丰富。盆地内储油构造广布，西部有重要的油气聚集带。此外，盆地中的锡铁山铅锌矿是中国目前已知最大铅锌矿之一。盆地内的交通事业也迅速发展起来，青藏铁路已通车至多个市县，公路网也已形成。

☑ 阿尔金山

　　阿尔金山脉是构成青藏高原北边屏障的山脉之一，也是柴达木盆地与塔里木盆地的界山。蒙古语意为"有柏树的山"。阿尔金山地形为巨大隆起带，由古老变质岩系发育。山脉地势西高东低，其间有索尔库里谷地，是古今沟通柴达木与塔里木两盆地的金鸿山口所在地。阿尔金山为中国及世界上干旱山区之一。5400米～5600米以上的地区有常年积雪和现代冰川发育，河流主要靠冰雪融水补给，北坡瓦石峡河、若羌河和阿雅里克河等，水量不大。山地北坡呈极端干旱荒漠山地的植被垂直带谱。从山麓、中山、亚高山以至高山带，均是荒漠植被占统治地位。谷地中发育有盐化高山荒漠土，沟谷底部则出现沼泽和大小盐湖，其周围分布有沼泽土与山原盐土，局部洼地还可见龟裂土。

☑ 可可西里山

可可西里山横贯西藏自治区北部与青海省西南部，西起木孜塔格峰之南，东止楚玛尔河与沱沱河间的青藏公路以西，呈东西走向，是昆仑山系南侧支脉。蒙古语意为"青（或绿）色的山梁"。长江北源楚玛尔河就发源于可可西里腹地的可可西里山。可

可西里山东接巴颜喀拉山，二者同为中国三叠系分布最广、发育最好的地区。山体长300余千米，宽20千米～30千米，山地平均海拔5000米～6000米，地貌表现为宽浅底山，山坡平缓，相对高度500米～700米，最高峰岗扎日东峰海拔6305米。山势一般平缓，山体中多年冻土广布，而且高处有永久性积雪冰川，海拔5600米山地夷平面上，发育有零星的平顶冰川，青新交界处的山峰汇集有众多冰川，最大冰川面积1000平方千米，为通天河支流楚玛尔河发源地。可可西里山年均气温低于-8℃，年降水量100毫

● 可可西里山

米左右，属高寒荒漠气候。可可西里山因位于青藏高原腹地，远离海洋，是长江流域降水最少的区域，也是典型的高山寒漠带，山地植物稀少，种类贫乏，但有成群野牦牛、野驴、石羊，长角羊等蹄生动物出没。

☑ 巴颜喀拉山

巴颜喀拉山藏语叫"职权玛尼木占木松"，即祖山的意思。位于青海中部偏南，为昆仑山脉南支，西接可可西里山，东连岷山和邛崃山，是长江与黄河源流区的分水岭，北麓的约古宗列曲是黄河源头所在，南麓是长江北源所在。在地质构造上有分布广泛的三叠系地层，同为海西运动时的隆起山。巴颜喀拉山海拔5000米～6000米，北坡平缓，南坡幽深，多峡谷。山区地势高，气候寒冷，属高寒荒漠草原，人烟稀少，只有藏人在此从事畜牧。山间谷地上，牦牛、绵羊远近成群。向阳的缓坡上分布着一块块草滩，像翠绿的绒毯铺盖大地，偶见零星牧包房点缀其间。该山地势高耸，群山起伏，雄岭连绵，景象恢宏，山区一年之中竟有八九个月时间飞雪不断，冬季最低温度可达−35℃左右，因而许多5000米左右的雪山

●朝阳下的巴颜喀拉山

日出时分，山上的云雾尚未散去，阳光照在积雪上，反射出一抹淡金色。从这照片看巴颜喀拉山、山峰、冰川、高山草甸不同的层次表现出了不同的颜色，让人不能不惊叹大自然的神奇。

有年久不融的皑皑积雪和终年不化的冻土层。而温暖季节则比较短暂，一般只有三个多月时间，而且气温较低，即使是盛夏季节，最高气温也不过10℃左右。虽地势高寒，气候复杂，但雨量充沛，而且存在深厚的永久冻土，排水不畅，多湿生植物占优势的沼泽草甸，是青海南部重要的草原牧场。这里还盛产被人们称之为"高原之舟"的牦牛和举世闻名的藏系绵羊，故巴颜喀拉山有"牦牛的故乡"之称。

☑ 各拉丹冬峰

唐古拉山地处青藏高原中部，东西横亘600千米，平均海拔5400米，6000米以上的高峰多达40座，其主峰各拉丹冬雪山群，南北长达50千米，东西宽约20千米，冰雪覆盖670平方千米，周围分布着40余条现代冰川，仅峰群西侧朵恰迪如岗峰四周就孕育着19条冰川，总面积达150多平方千米。众多的冰川融水汇成溪流，汇合在沼泽地带中，形成星罗棋布的湖泊，这些湖和沼泽就是世界第三大河流——长江的生命之源。

各拉丹冬雪山

各拉丹冬位于格尔木市唐古拉山乡境内。唐古拉山脉最高峰。藏语意为"高高尖尖的山峰"，南北长50千米，东西宽30千米。除主峰各拉丹冬峰外，海拔6000米以上的山峰还有40余座，冰川覆盖面积790.4平方千米，有冰川130条。

各拉丹冬在唐古拉山中段，青海省西南部靠近青藏边境，位于东经91°，北纬33.5°，海拔6621米，在其周围还有20多座6000米以上高峰。各拉丹冬地区地质构造异常复杂，冰川活动频繁，切割破碎。因而，山体山线破碎，地形条件恶劣。这里的气候干燥，年降水量仅200毫米，但在5000米以上高处却存在着强大的局部环流，使降水量高出山下几百毫米，常常雪、雹铺天覆地，极利于冰川发育。

姜根迪如冰川

姜根迪如在藏语中的意思是"狼山"，冰川分为南北两条，朝北北西方向延伸，形似螃蟹的前螯。南冰川长12.5千米，宽1.6千米。北冰川长10.1千米，宽1.3千米。

水系

青海水系大致以祁连山（东段）—日月山—巴颜喀拉山—唐古拉山为界，可分为东南外流区和西北内流区，分属黄河、长江、澜沧江和内流河四大水系。全省流量在每秒0.5立方米以上的河流（包括干支流）217条。青海外流水系主要是黄河、长江和澜沧江上游及其支流。此外，内流区较大河流有黑河、北大河、柴达木河、那棱郭勒河等。此外，青海省境内湖泊众多，淡水湖、咸水湖和盐湖兼有，湖泊水面大于1平方千米以上的计有262个，面积达1.29万平方千米，占全省总面积的1.8%。其中淡水湖148个，面积0.26万平方千米，各种类型湖泊集中分布于青南高原的江河源头地区和柴达木盆地，为发展农业、草原灌溉、人畜饮用、工业用水、渔业和盐化学工业等提供有利的条件。

☑ 沱沱河

沱沱河是长江正源，位于青海省西南部。源出唐古拉山脉的各拉丹冬雪山西南侧。各拉丹东雪山四周有庞大的雪山群，南北长约50千米，东西宽20

●沱沱河

沱沱河水流出雪山群后进入河床宽浅地区，坡度平缓的河漫滩地导致沱沱河流经之处，河槽不稳定，水流时分时合，纵横交织，形成了照片里所展现的"辫状水系"。

余千米，积雪面积达600平方千米。雪山上有多条冰川，沿山谷向下移动形成冰舌。雪山和冰川是储量丰富的水源。沱沱河的最上源有东西两支，东支发源于各拉丹冬雪山群西南侧的姜根迪如雪山下的冰川；西支源于尕恰迪如岗雪山的西侧。两河受冰川融水补给，成为长江的最初水源。东西两支汇合后称纳欣曲，下行24千米与右岸的切美曲汇合后才称沱沱河。沱沱河由南而北出唐古拉山，至切苏美曲口后，北流穿过祖尔肯乌拉山，接纳江塔曲，折向东，至囊极巴陇附近汇入当曲，进入通天河段。沱沱河与通天河上段河道宽展，多沙洲，水流散乱呈辫状，河流两岸山丘平缓，高原面保存完整，自切苏美曲口至登艾龙曲口，其间较大支流有当曲、莫曲、楚玛尔河等。

澜沧江上游

澜沧江自杂多县县城向下至青海与西藏交界地区，地貌为高山与宽谷相间，河谷宽广，沿途有河岛、河漫滩发育，河谷平均高程为3500米到4000米，两岸高山海拔在5000米左右。

☑ 澜沧江

澜沧江是横断山区的重要河流，发源于青藏高原，有两个源头，东源扎曲，西源昂曲，扎曲为正源，都出自唐古拉山，二源至昌都汇流后称澜沧江。澜沧江河床落差较大，江水汹涌湍急，水能蕴藏量近3000万千瓦。干流流经西藏自治区东部、云南省西部，于西双版纳傣族自治州景洪市南出境，改称湄公河。澜沧江的支流众多，较大的有沘江、漾濞江、威远江、补远江等。澜沧江的上中游河道从青藏高原穿行在横断山脉间，河流深切，形成两岸高山对峙，坡陡险峻的V形峡谷。下游沿河多河谷平坝。澜沧江以雨水补给为主，并有地下水和高山冰雪融水补给。上游段高山冰雪融水虽占有一定的比重，但地下水补给仍占有一定比重。中游段雨水补给逐渐增大，地下水和融水补给相应减少。下游段的雨水补给已占年径流量的60%以上。澜沧江流域内，尤其是下游坝子和湖泊分布较广，利于农业的发展。特别是西双版纳地区，不仅水稻一年三熟，而且是中国动、植物资源最丰富的地区，这里是中国动、植物物种资源的基因库。

☑ 通天河

　　通天河位于青海省南部。长江正源沱沱河与当曲汇合于囊极巴陇，由此处往东南到玉树市巴塘河口附近的直门达这一段长江上游的别称为"通天河"。全长810千米。通天河流行于青藏高原腹地内，地面一般在海拔4500米左右。因此，它与长江中下游河段相比，真可谓是通天的河流。在楚玛尔河汇口以上，除个别河段较狭窄外，河谷宽广，河槽宽而浅，河中沙洲栉比，水流散乱。在汇口以下，两岸山岭距河床较近，水流基本上合成一股。通天河的下游河道比较顺直，河槽逐渐稳定，水流比降增大，水势汹涌，两岸山势增高，谷底海拔由上游的4000多米下降到3000多米，成为典型的峡谷河。直门达以下称金沙江。

☑ 可可西里湖

　　可可西里湖位于治多县西北部，为可可西里山与马兰山之间断陷盆地东段，湖以山名命名。可可西里湖是半咸水湖和内流湖，岸边有盐碱结皮，湖东西长39.4千米，南北宽14.7千米，水面积302.2平方千米，深度为25米，体积75.5亿立方米。湖岸多为砂土带，植物覆盖度低，是高原野生动物出没之所。

●青藏铁路通天河大桥

气候

　　青海省地处高原，深居内陆，远离海洋，终年受大陆性气流及青藏高原气团影响，形成寒冷而干燥的气候。全省年均温为–5℃~8.6℃，1月均温–18.2℃~7.0℃，7月5℃~21℃，气温年较差小，日较差大，积温低。冬季寒冷而漫长（半年以上），夏季凉爽而短促。青海气温和降水地区差别大，垂直变化显著。东部黄河和湟水谷地年均温3℃~9℃，生长期140天~230天，年均降水量250毫米~550毫米，主要集中于6月~9月，可满足一年一熟的需要，是全省开发最早的主要农业区和商品粮基地。柴达木盆地年均温2℃~5℃，生长期150天~200天，日照长达3000小时，盆地北部和南部边缘为新垦区和小麦高产区。青海高原和祁连山地海拔高，气温低，不宜农耕，但降水多，草原面积大，为省内主要牧区，局部山地有森林和灌木林。

◎可可西里湖的夏季

自然资源

青海省地形、气候、土壤等自然条件的地区差异和垂直差异均甚显著；自然资源丰富多样，境内盐类、有色金属、石油等矿产资源和水力资源均相当丰富。在柴达木盆地诸盐湖中富集着巨量的钠、钾、锂、镁、硼、溴、碘等盐类，其储量之大、品位之高，均居全国的前列；还有全国储量最大的著名大型长纤维石棉床之一的茫崖石棉矿。青海植被类型以高寒灌丛、高寒草甸及高寒草原为主，其次为荒漠和山地草原，而森林植被则较少。珍稀动物有野骆驼、野牦牛、野驴、藏羚羊，鬣羚、雪豹、白唇鹿、黑颈鹤、斑头雁、天鹅等，还有梅花鹿、水獭、猞猁、血雉、雪鸡等野生兽禽数百种。

☑ 铅锌矿

铅锌矿是青海的优势矿产，资源丰富，分布广泛，大矿储量集中。省内共发现铅锌矿产地98处，铅金属保有储量172.4万吨；锌金属保有储量235.9万吨，都位居中国前列。省内主要的铅锌矿成矿区带有北祁连、柴北缘、东昆仑北坡及鄂拉山—同仁一带。其中海西州

◎铅锌矿

的锡铁山铅锌矿集中了全省铅锌矿储量的七成左右，为全国著名的大型铅锌矿床。省内铅锌矿资源虽然比较丰富，但锡铁山矿务局尚无后备基地。北祁连地区和鄂拉山—同仁一带虽有几个中型矿床，但供大规模开发，资源明显不足，再加上自然及经济条件的限制，只能供地方小型开采。进一步的开展勘查工作，尤其是加强锡铁山外围地区的找矿和勘查，成为改善当前后备资源不足的首要工作。

☑ 察尔汗盐湖

　　察尔汗盐湖是中国最大盐湖，号称"盐湖之王"，又名察尔汗盐池，位于青海柴达木盆地南部格尔木市与都兰县境内，包括达布逊湖与南北霍鲁逊湖在内，面积约5800平方千米，盐湖大部分上覆坚硬盐壳。盐壳以下为盐层与晶间卤水，盐层最厚可达60米，储量530亿吨。晶间卤水属氯化物型，有丰富的钾镁光卤石伴生，是中国最大的钾镁盐液体矿床。1958年曾在察尔汗建有小型钾肥厂。新建的青海钾肥厂，一期工程年产20万吨钾肥，最终年产氯化钾将达100万吨。敦（煌）格（尔木）公路横跨盐湖一段长约32千米，系用盐铺造，称"万丈盐桥"。青藏铁路第一期工程也约有32千米长的路基筑在盐湖上，为世界铁路建筑史上所罕见。

☑ 紫罗兰报春

　　紫罗兰报春是报春花科植物，多年生草本。具粗短的根状茎和肉质长根。叶呈披针形、长圆状披针形或倒披针形，叶柄具阔翅。花葶高8厘米～20厘米，伞形花序1轮，花8朵～12（18）朵，花冠蓝紫色至近白色。

主要分布于青海、甘肃、四川，生长于海拔3300米～4100米处的灌木林下、湿草地上和潮湿的石缝中。

●察尔汗盐湖中的盐花

在水分蒸发的过程中，饱含盐分的湖中不断地析出盐结晶，这些结晶最终形成盐花。这个看似宝塔的盐花结晶就是在察尔汗盐湖拍摄的。

☑ 雪豹

雪豹属猫科动物，是高原地区的一种岩栖动物，中国主要产于青海、西藏、新疆、甘肃、四川等地的高山上，国家一级保护动物。体形似豹，个头略小于豹，浑身灰白或乳白色。因全身布满不规则斑点和环纹，颇像植物叶子，故又有"艾叶豹"之称。雪豹常栖居在海拔2500米～5000米处，习惯活动在断岩峭壁之间，夜晚出外觅食，在黄昏或黎明时候最为活跃。雪豹生性异常凶猛，行动敏捷机警，四肢矫健，动作非常灵活，善于跳跃，在高山上堪称一

●雪豹

雪豹是一种凶猛的动物，经常埋伏在一些隐蔽的地区等候着猎物的到来。

○普氏原羚

霸。它捕猎的方法主要有两种：一种是借助于隐蔽物，慢慢接近猎物，到足够近时便会突然跃身袭击；另一种是打"埋伏战"，一般雪豹在岩石、小路旁等待动物走过，当猎物离埋伏处只有数十米时，它便突然跃起，扑向猎物，如果抓不到时，一般不再追赶。雪豹生活在寒冷的高山地区，耐寒性极强。

☑ 普氏原羚

普氏原羚属偶蹄目牛科，中国国家I级重点保护动物。成体体长1米左右，尾长7厘米～10厘米。体重21千克～32千克。雌性无角，雄性有角2个。栖息于山间平盆地和湖周半荒漠地带。普氏原羚生性机智，行动敏捷，喜集群活动，一般以10头左右集群活动，一群最多可达50～60只。冬季发情，5～6月产仔，每胎一崽。最新调查结果显示，普氏原羚仅青海湖四周仅残存有3～4个种群，即鸟岛附近1～2群，约37只；湖东种羊场及小北湖一带生存有70只左右；湖北岸刚察县察拉滩的1群约70～80只。总数量恐不足200～350只。

☑ 白鹈鹕

白鹈鹕属鹈鹕科鹈鹕属。体长140厘米～175厘米，体形粗短肥胖，颈部细长。嘴长而粗直，呈铅蓝色，嘴下有一个橙黄色的皮囊。脚为肉红色。尾羽为24枚。体羽白色，稍微缀有一些橙色。头的后部有一束长而狭的悬垂式冠羽。胸部有一束淡黄色的羽毛。翼下的飞羽为黑色。白鹈鹕主要栖息于湖泊、江河、沿海和沼泽地带。常成群生活，善于飞行，也善于游泳，在地面上还能很好地行走。飞行时头部向后缩，颈部弯曲靠在背部，脚向后伸。白鹈鹕主要以鱼类为食，营巢于芦苇丛中或树上。繁殖期为4月~6月；每窝产卵2枚~3枚。在中国《国家重点保护野生动物名录》中白鹈鹕被列为二级保护动物。白鹈鹕现主要分布在中国青海湖、新疆西部、河南、福建，以及欧洲南部、非洲、亚洲中部和南部等地。

◉白鹈鹕

白鹈鹕曾经是中国西北地区常见的鸟类，但近年来野外数量已经十分稀少。

经济

青海省矿产资源丰富，已发现矿产近130种，其中锂、钾、湖盐、镁盐、云母等11种居中国第一位。特别是柴达木盆地的盐类蕴藏量十分丰富，地表盐化学沉积面积达1.6万平方千米。全省工业伴随着资源开发步伐的加快，发展迅速，逐步形成以水电、电气和煤炭开采为主的能源工业、以湖盐为主的盐化工业、以有色金属和石棉为主的采掘业和原材料工业、以农牧产品为主的机械工业等五大工业格局。但是由于青海地处中国内陆，交通运输发展缓慢，使经济的发展受到较大的制约。青海的农业生产历史悠久，现有耕地58.8万公顷，主要分布在省境东部、青海湖环湖地区和柴达木盆地。青海省内种植的主要农作物有小麦、青稞、蚕豆、燕麦。经济作物中，油料播种面积占全部经济作物的99%以上。

☑ 农业

青海一直都是中国重要牧区之一。畜牧业历史悠久，95%以上的地区为牧区和以牧为主的半农半牧区，天然草场面积约占全省土地总面积的60%。主要分布于青南高原、祁连山地和柴达木盆地。全省种植业已经有较大的发展，以旱作为特色，种植业以粮食作物为主。但土地垦殖利用程度低，耕地分布不均，一年仅一熟，复种指数不高。青海省所种植的经济作物较为单一，以油菜居绝对优势，其他经济作物有限。

☑ 工业

青海境内矿产资源极其丰富，又有黄河上游龙羊峡至积石峡河段丰富的水力资源，以及大量的农畜产品和野生动植物资源等，已初步形成以机器制造、食品和纺织为主，包括轻纺、皮革、造纸、食品、盐化工、电力、机械、冶金、煤炭、石油、电子、建材、森林采伐和加工等门类比较齐全的现代工业体系。青海已建立起具有自己特色的现代工业，成为工业、农牧业经济共同发展的省份。

☑ 交通

青海地处中国内陆，交通运输发展缓慢，加之地势高峻，河流比降大，流速急，无航运之利。陆运以公路运输占绝对优势，主要有青藏、甘青、敦格、茶茫、青川、青新、宁张等公路干线，其中以青藏公路最为重要，成为横贯全省的大动脉，是内地通往西藏的要道。铁路有兰青、青藏两条干线。水运现已开辟龙羊峡至沙沟、曲沟、拉干3条航线。民航已有西宁至北京、西安、太原、兰州等地。而且还有小型的输油管道使用。

◎ 花土沟油田一角

花土沟是柴达木盆地中的一个镇，目前花土沟有五六万人口，以石油职工和家属为主。作为青海油田的总根据地，周围上千平方千米的荒漠里密布着无数的钻井平台，每天24小时不间断的汲取着地下几千米深处的石油。照片中显示的就是在沟梁纵横的泥岩地貌中采油平台。

◎ 青海湖畔油菜花香

东部季风区是青海最富饶的地方，那么青海湖之畔就是这块富饶之地的焦点。在这个中国最大的咸水湖和内陆湖之畔，种植着无边无际的油菜。每当油菜花开的季节，那一片金黄将青海湖装点的格外绚丽，格外神奇。

旅游地理

青海省由于地处高原，多少数民族，以及历史上交通不便等原因，使青海对大多数旅游者来说具有神秘感。青海是长江、黄河的发源地，这里湖泊沼泽众多，高原湖泊自有其风韵，又是禽兽的栖息地，黄羊、野驴、棕头鸥、斑头雁、天鹅不时出没，青海湖鸟岛尤为易见；雪山和冰川景色壮丽；还有众多的盐地，白茫茫一片都是盐碱的世界，有时会发现宝石般的盐晶；高原牧场绿草如茵，牛羊成群；阿尼玛卿峰等冰封雪锁，利于开展登山运动，是科学考察、探险或观光旅游的好去处。青海盛行喇嘛教，湟中是黄教创始人宗喀巴的诞生地，故多有寺庙，且规模宏伟，建筑辉煌，更形成独特的宗教艺术，驰名中外。青海的少数民族聚居地还保留着浓郁的民族特色和民俗风情，可考察和体验藏、土、撒拉等族的传统和习俗。

☑ 阿尼玛卿山

阿尼玛卿山是昆仑山脉东段的一支，"阿尼"藏语是先祖的意思，兼有美丽幸福、博大无畏之意。"玛卿"意为黄河源头最大的山。其坡度大多在35度至50度之间，最大可达75度以上。山势最高部分位于青海玛沁县西部，有海拔超过5000米以上的高峰18座，发育现代冰川30条。其主峰玛卿岗日山

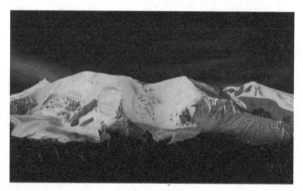

●日出时分的阿尼玛卿山

这张照片是摄影师在阿尼玛卿山的曲哈尔晓玛冰川末端的登山大本营拍摄的，朝阳照在积雪皑皑的阿尼玛卿山主峰玛卿岗日上，整个山变成了金黄色。

海拔6282米，终年积雪不化，藏族人民尊为神山，常来朝拜。阿尼玛卿山冰峰雄峙，地形复杂，气候多变，原始森林丰饶，为青海重要的林区。森林中生活着白唇鹿、雪豹、雪鸡、猞猁，以及熊、鹿、狐狸等动物，盛产贝母、党参、羌活、冬虫夏草等名贵药材。玛积雪山于1980年对外开放，供旅游观光，让登山运动健儿大显身手。

☑ 日月山

●日月山下的唐蕃古道碑

日月山位于青海湖的东部，略呈西北—东南走向，是青海湖和湟水的分水岭，山西为游牧部落，气候地势划分为二，故史称"草原门户""西海屏风"，民谚有"过了日月山，又是一重天"之说。阿勒大湾山与野牛山之间是日月山口，海拔约3470米，历来为内地赴西藏的咽喉大道，青藏公路即通过这里。山口路边立一块碑，上书雄劲有力的"日月山"三个大字，山顶上日亭和月亭古香古色。立于岭上俯望那尽收眼底的万里江山：东边是河湟谷地，良田漠漠，柳烟蒙蒙，一幅塞上江南泼墨图；西边是广阔草原，帐篷点点，牛羊成群，一幅"风吹草低见牛羊"的塞外写意画。日月山自古是农牧区的分界线。过去的出门人过此山就会有"出塞"的感觉，所以在民间流传着"过了日月山，两眼泪不干"的谚语。

☑ 青海湖

青海湖，是中国一个美丽的内陆湖泊。自古以来，人们就因它的浩瀚、神奇而向往，为它的雄伟、秀丽而称赞，把它誉为青海高原上的一颗璀璨明珠。青海湖，古称"西海"，又称"鲜水"或"鲜海"。蒙语称"库库诺尔"，藏语称"错温波"，意为"青色的海""蓝色的海洋"。由于青海湖一带早先属于卑禾羌的牧地，所以又叫"卑禾羌海"，汉代也有人称它为"仙海"。从北魏起才更名为"青海"。大约在200万年前，青海湖由于地壳运动形成一个断陷湖盆，湖盆积水开始主要流入黄河，后因周围山地升高，阻塞了湖水流出，便形成今日的内陆湖泊。青海湖地处高原的东北部，湖的四周被巍巍高山所环抱，海拔为3260多米，它的周长360千米，面积达4432平方千米，是中国最大的内陆湖泊和最大的咸水湖。湖区有大小河流近30条。在青海湖畔眺望，苍翠的远山，合围环抱；碧澄的湖水，波光潋滟；葱绿的草滩，羊群似云。一望无际的湖面上，碧波连天，雪山倒映，鱼群欢

●青海湖

青海湖现在最著名的颜色，是由白色云、蓝色的湖和黄色的油菜花组成的，作为青海的象征，青海湖不仅在国内有名，随着国际环湖自行车赛的开展，青海湖正在一步步走向世界。

● 海西皮

海西皮最多的鸟儿是鸬鹚，而今这块突兀的孤岩已经成为鸟岛的标志。在青海湖的门票上就印着这个孤岩。它的荒芜和野生鸬鹚顽强的生命力，衬托出了青海湖的辽阔与舒远。

跃，万鸟翱翔。湖东岸有两个子湖，一名尕海，面积10余平方千米，系咸水；一名耳海，面积4平方千米，为淡水。这里气候凉爽，即使在烈日炎炎的盛夏，日平均温度一般都在15℃左右，是理想的避暑胜地。

☑ 鸟岛

青海湖最诱人的奇观是驰名中外的鸟岛。鸟岛又名小西山或蛋岛（因鸟蛋遍地故名）。位于布哈河口以北4千米处，在青海湖的西北部，岛的东头大，西头窄长，形似蝌蚪，全长1500米。面积仅0.46平方千米。每年5月～6月份是观光鸟儿王国盛况的最好时期。来自中国南方和东南亚等地的斑头雁、棕头鸥、鱼鸥、赤麻鸭、鸬鹚和黑颈鹤等10多种候鸟，春天后成群结队返回故乡，栖息在这个小岛上，营巢产卵，孵幼育雏，最多可达10万只以上。踏上鸟岛，使人眼花缭乱，群鸟或翱翔于蓝天之间，或嬉游于碧波之中，或栖息于沙滩之上，熙熙攘攘，热闹非凡。鸟儿发出婉转动听的鸣声，仿佛进入了音乐的大千世界。岛上遍地都是各式各样的鸟巢和五光十色的鸟蛋，几乎没有游人插足之地。精诚团结的众鸟，如遇到"天敌"，便会群集而起，向来犯者发起猛烈攻击。湖内还有海心山、海西山、三块石等岛屿，这些岛屿也是鸟类的天堂，密密麻麻的鸟巢遍布于山崖峭壁，鸟蛋更是俯拾皆是。湖水中还生活着一种裸鲤，又叫无鳞湟鱼，当地人称之为湖中之王，是著名的水产品。

☑ 倒淌河

  大诗人苏东坡曾经作诗"谁道人生无再少，门前流水尚能西"，在青海就有这么一个奇景。倒淌河在日月山西边脚下，一股碧流永无休止地向西而去，流入浩瀚的青海湖。天下河水往东流，偏有此河向西淌，所以人们称此河为"倒淌河"。关于倒淌河的来历，民间有许多传说。说唐王李世民为了沟通藏汉两族的关系，促进文化交流，将年轻美貌的文成公主嫁给吐蕃松赞

●青海湖鸟岛

青海湖长久以来的居民应该说是这些鸟儿，它们在这里与湖水、岸风相映成趣。人类只需远远观望，尊重它们，就是对鸟岛居民的赞美。

干布。文成公主在赴西藏途中，到达日月山时，回首不见长安，西望一片苍凉，念家乡，思父母，悲恸不止，流泪西行，公主的泪汇成了这条倒淌的河。而据地质学家考察，2亿多年前，由于地壳运动，高原隆起，青海湖成为完全闭塞的湖，使本来向外泄的河只好转过方向向西流。

☑ 扎陵湖

扎陵湖在青海省果洛藏族自治州的玛多县和玉树藏族自治州的曲麻莱县境内。又称"查灵海"，藏语意为白色长湖。位于青海高原玛多县西部构造凹地内，居鄂陵湖西侧。湖面海拔4294米，面积526平方千米，最深处在湖心偏东北一侧，蓄水量46亿立方米。纳卡日曲与约古宗列渠（藏名玛曲）汇成黄河，湖心偏南为黄河主流线。黄河携带大量泥沙入湖，风浪泛起时湖面呈灰白色，故有白色长湖之称。湖中，盛产裸鲤，俗称湟鱼。湖西部距黄河入湖处不远有3个小岛，夏季大群候鸟聚居，也称鸟岛。湖滨多为亚高山草甸，为重要牧场。

☑ 鄂陵湖

鄂陵湖藏语意为蓝色长湖。在中国青海省果洛藏族自治州的玛多县和玉树藏族自治州的曲麻莱县境内。鄂陵湖与扎陵湖同为黄河上游最大的一对淡水湖，又称"鄂灵海"，古称柏海。鄂陵湖西距扎陵湖15千米。黄河切穿两湖间的巴颜朗玛山时形成峡谷，峡谷长300余米。湖面海拔4272米，东西宽处约31.6千米，面积610平方千米。平均水深17.6米，蓄水量107亿立方米。湖中产冷水性无鳞鱼类，其中以花斑裸鲤、扁咽齿鱼、黄

◎扎陵湖畔

在青海，几乎所有的圣湖之滨都有五彩经幡，扎陵湖也不例外。五彩经幡的存在，向人们展示着扎陵湖的神圣。

●鄂陵湖畔的羊群

在湖水的滋润下，在鄂陵湖边生长着丰盛的牧草，藏族同胞经常在这里放牧。而今，随着保护区的兴建，鄂陵湖畔放牧已经大为减少。

河裸鲤、三眼鱼等为主。湖心小岛候鸟群集，栖息着大雁、棕颈鸥、鱼鸥、青麻鸭等多种候鸟，成为青海高原上另一鸟岛。湖滨亚高山草甸为青海重要牧场。

☑ 坎布拉

坎布拉国家地质公园位于青海省东部尖扎县境内的黄河峡谷地带，面积154平方千米，平均海拔2500米，最高海拔3100米，最低海拔2300米。这里是青海省境内第一个国家级地质公园，集中国西北地区、青藏高原和黄土高原地质构造运动，气候演变与侵蚀、剥蚀及黄河形成、发展等环境演化历史于一体，犹如一部详细记载青藏高原隆升与气候演变等时间的"万卷书"，对中国西部新生代以来环境演变的研究具有很高的科学价值。坎布拉国家地质公园前第三纪地层仅出露下元古界前震旦纪变质岩，而第三纪以来各时代地层却十分齐全，是区内第三纪以来地球外营力作用、青藏高原隆升、气候环境演变历史事件和黄河形成发育历程的真实记录。坎布拉的地貌遗迹，最典型的就

◎坎布拉丹霞景观

坎布拉丹霞地貌是中国乃至世界典型的高原干旱性气候环境中，由第三系红层构成的丹霞地貌景观，这一地质遗迹独具典型性。同时，这里极少受到人类活动的影响，完整地保留了自然界固有的粗犷美和原始美。再加上李家峡水库碧水如镜、波光粼粼，林区内云雾缭绕，郁郁葱葱，好似一幅动人的国画。

是丹霞地貌。它姿态奇美，景色丰富，奇峰、方山、洞穴、峭壁是它的主要特征。远远望去，山色丹红，宛若朝霞。山体的形状如宝塔、如城堡、如高墙，平地拔起，陡峭直立，雄伟壮观。还有一些小的山体造型，有的似人，有的似兽，有的像物，栩栩如生，形态各异。丰富的造型，宛如一位艺术大师精心制作的一处红石雕塑园。

☑ 塔尔寺

塔尔寺位于青海省湟中县鲁沙尔镇西南，是中国藏传佛教格鲁派创始人宗喀巴诞生地。是藏传佛教格鲁派六大寺院之一，全称衮本绎巴林，意为十万金身慈氏州。据历史记载，塔尔寺建于明嘉靖三十九年（1560），占地面积40万平方米，整个寺院依山势起伏，富丽堂皇。塔尔寺内有大金瓦寺、小金瓦寺、小花寺、大经堂、九间殿、大拉浪、如意塔、太平塔、菩提塔、过门塔等大小建筑，共1000多个院落，4500多间殿宇，组成一座汉藏艺术风格相结合的建筑群。在雕塑、堆绣、壁画和酥油花等方面，则反映了藏族的独特风格，达到了很高的艺术水平。

☑ 瞿昙寺

青海的古老建筑群在历代战火中屡遭焚毁，能完整地保留下来的极少，而海东市乐都区的瞿昙寺是保存最完整的明代建筑群。瞿昙寺的殿堂建筑有几分似故宫，据说当初就是仿照故宫修建的，所以又有"小故宫"之称。瞿昙寺的周围群山围绕，近处林木葱茏，郁郁苍苍，流水潺潺，鸟语花香；远处乐都南山终年积雪，寒光逼日，"皎洁凌空似玉山"，"影射长天迷素鹤，光浮浅水失群鹇"

◉塔尔寺全景
塔尔寺四周群山环抱，状似八瓣莲花，视地观天，陵涧起伏，状如八辐法轮。祥光照射下的梵宇佛寺独具风格，宫殿式建筑与平顶式建筑依山就势，巧妙布局。巧夺天工的雄伟建筑，恢宏壮观，气势磅礴。体现了藏汉文化交汇融合的特色和风格。

便是这里真实的写照。在雪岭翠山的映照下，瞿昙寺更加幽静壮丽，古香古色。从山门而入，迎面就是高大的金刚殿。穿过金刚殿，即是瞿昙殿和宝光殿；左右两边殿堂众多。依次而进，后边是最宏伟的隆国殿。从高处看，主要的大殿与山门对齐，建在一条线上。

☑ 隆务寺

隆务寺，全称"隆务贡德钦却科尔林"，著名藏传佛教格鲁派寺庙，位于中国青海省黄南藏族自治州同仁县隆务镇，为安多藏区仅次于拉卜楞寺和

塔尔寺的第三大寺，全国重点文物保护单位。隆务寺原为萨迦派寺院，始建于元朝大德五年（1301），名为"智卡贡康"，明朝洪武三年（1370），获得中国明朝政府认可。宣德元年（1462），三木旦仁钦重建隆务寺，后其弟罗哲森格继任为法台，被宣德帝封为"弘修妙悟国师"，成为当地政教合一的领袖。万历三十三年（1605），隆务寺皈依格鲁派，再次被扩建。1630年，雅杰蔼丹嘉措成为隆务寺法台，多有建树，后被认为是三木旦仁钦转世，成为一世夏日仓呼图克图活佛，下属有黄南地区昂锁，称"额尔德尼昂锁"，下辖十二部族，占地约为今日同仁县和泽库县两县。经历辈夏日仓活佛不断扩充，隆务寺成为安多三大寺之一，下辖十八座子寺。1980年后经修复重新开放，现有佛堂7座，活佛府邸6座，僧舍300余间，僧人300余名。寺内还设有十世班禅额尔德尼·确吉坚赞行宫。

■塔尔寺如来八塔

如来八塔建于1776年。其造型大同小异，塔身高6.4米，塔底周长9.4米，底座面积5.7平方米。塔身白灰抹面，底座青砖砌成，腰部装饰有经文，每个塔身南面还有一个佛龛，里面藏有梵文。

☑ 东关清真大寺

东关清真大寺在西宁市城东区，初建于1380年（明洪武年间），后毁于清同治年间左宗棠镇压西宁及陕、宁回族起义的战斗中。1914年西宁东关区回族群众捐资重建，1946年再次扩建。现占地面积2.8万平方米，一次可容3000人礼拜，是西北地区四大清真寺之一，也是青海省规模最大的清真寺。1982年修缮时在大殿拱门上饰以古体金字《古兰经》经文，肃穆庄严。东关清真寺建筑风格独特，门洞为花岗岩巨石砌成，两侧高耸的宣礼塔顶装饰有精致的藏式镏金经筒，是湟中塔尔寺送来的宝物。中心建筑为礼拜大殿，是典型的内地宫殿式建筑。东侧两层厢楼与大殿浑然一体。飞檐斗拱均呈对称分布。礼拜殿顶脊饰有3个藏式镏金宝瓶，据说是甘肃拉卜楞寺僧众集资赠送，为国内清真寺独有，是喇嘛教、伊斯兰教友好往来的纪念物。

●东关清真大寺

宁夏回族
自治区

行政区划

　　宁夏回族自治区，简称宁，因其境为西夏故地而得名。宁夏回族自治区位于中国西北地区东部，黄河上游河套西部，与内蒙古自治区、甘肃省、陕西省毗邻。地理位置介于东经104°17′～107°39′、北纬35°14′～39°23′之间。全自治区总面积6.64万平方千米，辖5个地级市、9个市辖区、2个县级市、11个县。自治区首府银川市。

宁夏回族自治区行政区划简表

行政区	面积（平方千米）	下辖行政区
银川市	9491	兴庆区、金凤区、西夏区、灵武市、永宁县、贺兰县
石嘴山市	5309.5	大武口区、惠农区、平罗县
吴忠市	20400	利通区、红寺堡区、青铜峡市、同心县、盐池县
固原市	10468	原州区、西吉县、隆德县、泾源县、彭阳县
中卫市	14755	沙坡头区、中宁县、海原县

☑ 银川市

　　银川市是宁夏回族自治区辖地级市，自治区首府，中国历史文化名城。位于自治区境北部，东滨黄河。面积9491平方千米，辖3区2县和灵武市。全市常住人口222.54万（2017），以汉族居多，有回、蒙古、满等少数民族。夏、商、西周时期银川为雍州之城，戎羌诸族游牧之地，春秋战国为朐衍等戎族居留地，秦代属北地郡。1038年，李元昊在这里建立大夏国，史称"西夏"，定都兴庆府。元为中兴路、行省治所。1288年，改行省为宁夏府路，宁夏之名肇始之此。1929年置宁夏省，省会驻宁夏城。1944年改城为市，定名银川。银川地处银川平原引黄灌区中部，地势由西南逐渐向东北倾斜，坡地平缓，东近黄河，沃野千里，素称"塞上江南"。银川沟渠成网，以惠农、汉延、唐徕、西干四大灌渠为主。银川属中温带干旱气候区。工业以机械、纺织、化工、食品、建材、电子等产业为主。化学工业在宁夏国民经济中占重要地位。农作物有小麦、水稻及蔬菜、瓜果等。在交通方面，包兰铁路、109国道、110国道南北过境。民航、联航班机可达北京、上海等大城市。境内有名胜古迹和旅游景点10多处，其中国家级风景名胜区西夏王陵气势宏大壮观，其重要的历史文物价值和人文价值已为国内外学者和人们所注目。

●宁夏凤凰公园

☑ 石嘴山市

石嘴山市是宁夏回族自治区辖地级市。位于自治区北端，东邻黄河，与内蒙古自治区接壤。面积5309.5平方千米，辖2区1县。常住人口79.51万（2016），以回、汉族为多，有满、蒙古等少数民族。市府驻大武口区。1956年石嘴山被国家列为"一五"期间10个新建矿区之一，开始以煤炭为中心的大规模工业建设。石嘴山市处中原农耕区与北方牧区的过渡地带及交通要冲。属温带大陆性干旱气候，年均温5.8℃～9.4℃，1月均温-9.6℃，7月均温23℃，年均降水量170毫米～447毫米。煤炭资源丰富，煤种多，其中"太西煤"具有低灰、低磷和高发热量等特点，有塞上"煤都"之称。工业主要有电力、冶金、机械、陶瓷、钢材、化工、建材、食品加工等。农业主产稻谷、小麦、玉米等，兼产油料、甜菜、红黑瓜子等。交通有了一定程度的发展，包（头）兰（州）铁路贯穿南北，并有平汝支线及109国道、110国道穿境。市域平罗县境融江南秀丽的水上景观和塞外豪放的沙漠风景于一体的国家级旅游景点——沙湖，被誉为

塞上明珠；西靠巍巍贺兰山，面对滔滔黄河水的寿佛寺渐次升高，结构精巧，层次分明；有错落有序的玉皇阁，还有贺兰山岩画岩刻、古长城遗址及地震引起的错位等景观。

◎石嘴山北武当

北武当生态旅游区是国家2A级景区。位于石嘴山市大武口区西北贺兰山东麓，朝阳西街起始点。是一处集山、林、庙、地质遗迹、军事体验等为一体的综合性旅游。景区内每年9月、10月举办北武当九九重阳登高节、庙会等活动。

人口、民族

宁夏回族自治区是中国人口较少，而少数民族比较集中的省区之一。全自治区常住人口681.79万人（2017），人口密度平均每平方千米约99人，在西北地区仅次于陕西省。自治区人口地区分布差异很大，灌区人口约占全自治区人口的60%，每平方千米约为170人；南部丘陵山区，人口主要分布在沿河谷地和山间盆地，其中清水河、葫芦河等谷地每平方千米在100人以上。民族以回、汉为主，分布遍及全区各地。此外，还有满、蒙古、东乡等20多个少数民族。自元代始，宁夏即成为中国回族的主要聚居地区。在蒙古族平定西夏后，大批中亚各族人、波斯人、阿拉伯人被迁徙来宁夏屯戍，成为宁夏境内回民的主要来源，他们多信奉伊斯兰教。清末，由于对陕西回民的大屠杀，迫使陕西省回民聚集于宁夏南部。1936年红军在同心、海原地区建立中国历史上最早的县级回族自治政权。目前全自治区回族人口约占全国回族总数的1/5以上，主要集中分布于自治区内的同心、海原、西吉、固原和吴忠等县市。泾源县回族人口占该县总人口比例高达75%，同心、海原、吴忠、西吉等市县则均达50%以上。

● **回族踏脚舞**

踏脚舞是宁夏回族自治区泾源县回族同胞所独有的一种舞蹈和攻防技能。"手是两扇门，全凭脚打人"，踏脚舞正是以发挥腿脚的踢弹功能，用来攻击对方或是防守的。如今，踏脚舞对练已转变成为一种纯粹的民间娱乐活动。

☑ 回族

回族有人口1058.6087万（2001），在中国绝大多数市、县都有分布，尤其是在宁夏、甘肃、青海、新疆、云南、河南、河北、山东、安徽等省、自治区人数较多，并有大小不等的聚居区。回族，以13世纪迁入的中亚西亚人、波斯人和阿拉伯人为主，包括7世纪以来侨居东南沿海某些商埠的阿拉伯和波斯商人后裔在内，在长期发展中吸收汉、蒙古、维吾尔等族成分逐渐形成。其先民在唐宋时被称为"蕃客"，元明以来称"回回"。回族以善于经营著称，珠宝玉石、运输业、牛羊屠宰和加工业，都是他们的传统行业。各地回族农户多附带经营牧业或者运输业、手工业、小商业。回族通用汉语、汉文。在文化上曾受阿拉伯、波斯等西亚传统文化的影响，信仰伊斯兰教，习惯在住地修建"礼拜寺"，多围寺而居。礼拜寺渐渐统称为清真寺。回民在自治区内主要从事农牧业，还擅长手工业生产和商业服务业。

◎同心清真大寺

同心清真寺位于同心县旧城西北角的高地上，是宁夏现存历史最久、规模最大的一座伊斯兰教建筑。同心清真大寺也是著名的革命文物，同心清真大寺已被自治区列为全区第一批重点文物保护单位。

历史文化

宁夏境内的灵武水洞沟遗址证明，在3万年前的旧石器时代宁夏就有人类活动。春秋战国时期，羌、戎和匈奴等民族在此繁衍生息。汉武帝元狩年间大批移民来此，大规模开发引黄灌区，使黄河沿岸平原逐步成为谷稼殷积的绿洲。到南北朝末期，这里已有"塞上江南"之誉。11世纪初，党项族以宁夏为中心，建立大夏国（史称西夏），与宋、辽、金鼎立近200年之久，创造了灿烂的西夏文化。

● 水洞沟遗址

☑ 水洞沟遗址

在宁夏灵武市境内长城西南、与长城并行的水洞沟北面的一处断崖，就是举世闻名的宁夏古人类文化发祥地——水洞沟遗址。水洞沟遗址是远古人类生活繁衍、同自然界搏斗的历史见证。它以蕴藏着丰富而珍贵的考古资料，向人们展示了距今3万

SHUIDONGGOU SITE

年前的"宁夏人"是怎样生存的一幅生动的画卷。考古学家在这里发掘出大量的打制石器，发现了古人用火的痕迹和丰富的古生物化石。水洞沟的石器，是用十分坚硬的硅质灰岩打制而成的。这说明水洞沟人已掌握了比较先进的打制技术。他们制造的石器，器形稳定，左右对称，特别是有纵背的定叶形尖状器，在国

● **水洞沟遗址出土的披毛犀化石**

内同时代的其他遗址中实为罕见，属水洞沟具有显著特征的器形之一。颇具重要意义的是，在水洞沟遗址中，有稍加磨制穿孔的鸵鸟蛋皮饰物和骨锥等器物，标志着人类历史上石器制造方法有着划时代意义的磨制技术已处于萌芽之中。水洞沟古人类文化遗址已被列入中国重点文物保护单位。

☑ 贺兰山岩画

贺兰山北自石嘴山口向南的10多个山口中，在岩崖石壁或沟边的石头上，发现了数以千计的古代岩画。主要有300多幅人物、动物和狩猎的图像。这些岩画题材广泛，大到宇宙日月星辰现象；小至牛羊足蹄、人手口脚趾图形；最多的是类似人头像和虎、豹、狗、鹿、羊、骆驼等动物图像，其中还有放牧、打猎形象的岩画，反映了宁夏地区古代各个时期游牧民族的实际生活场景，具有浓厚的生活气息。贺兰山岩画多是用石头、骨、金属等工具在石头上或岩壁上磨、刻、凿成。画法粗犷，形象生动。从描绘的内容和刻画的笔法分析，这些岩画大部分为春秋战国前游牧民族的艺术创作。岩画造型有繁杂的，也有简单的，表现了宁夏地区古代各少数民族多姿多彩的生活，显示了丰富的想象力和非凡的智慧与艺术才能，是研究古代贺兰山地区游牧民族历史、文化、艺术的宝库。

☑ 李元昊

　　李元昊即夏景宗，西夏国君，党项族人，自幼好学，好佛，通蕃、汉文字和兵法，善绘画。李元昊为李继迁之孙、李德明之子，1032年嗣位，改宋所赐姓为嵬名氏。李元昊将兴州升为兴庆府，广修宫室，简化礼仪，创文字，建蕃学。疆域拓展为东据黄河，西至玉门，南临萧关，北抵大漠。1038年，元昊正式称帝建西夏国，国号大夏，定都兴庆府（今银川）。因其地处中原宋朝之西，故历史上称其为"西夏"。1044年，元昊与宋订立和约，同年又在贺兰山大败辽军，最终形成了宋、辽、西夏鼎立的局面。他在位期间整修水利，发展冶金和采盐手工业。为发展西夏文化，元昊还派人从宋朝搜集大量汉文典籍，翻译《孝经》《尔雅》等书。

☑ 西夏文化

　　党项族是中国古代西北民族——羌族的一支，称党项羌，共分有8部，以拓跋氏最为强盛。公元1038年，党项拓跋氏首领元昊称帝建国，史称为"西夏"。党项人以姓为部落，尚武而勇猛，同氏族的人必须互相帮助，当受到外族人伤害时，必须复仇。因此，党项人在抵御外族的战争中，异常顽强凶猛，曾多次打败辽、宋军队，甚至成吉思汗率蒙古铁骑6次攻打西夏也未竟全功。西夏建国后，党项族的势力不断发展，其疆域方圆2万余里，东尽黄河，西界玉门，南接萧关，北控大漠。今内蒙古阿拉善戈壁与鄂尔多斯草原及西部的巴彦淖尔市、包头一带，皆属西夏所

◎以西夏文刻印的《金光明最胜王经》

西夏立国前夕，夏景宗为了建议属于本国的语言，派野利仁荣仿照汉字结构创建西夏文，于1036年颁行，又称"国书"或"蕃书"，与周围王朝往来表奏、文书，都使用西夏文。文字构成多采用类似汉字六书构造，但笔画比汉字繁多。西夏文学家骨勒茂才认为西夏文和汉文的关系是"论末则殊，考本则同"。西夏文创制后，广泛运用在历史、法律、文学、医学著作，镌刻碑文，铸造钱币、符牌等也都使用西夏文。

辖。西夏有畜牧业、农业、制盐业、建筑业、手工业和商业。其统治制度为蕃汉分而治之，有蕃官和汉官。国家还制订有成文法典，实行科举制度，并且建立了强大的骑兵和步兵。西夏于公元1037年，仿汉字创制西夏文，并汇编字书12卷，定为"国书"，上至佛经诏令，下至民间书信，均用西夏文书写。为方便人们学习西夏文，还印行了字典。党项族笃信佛教，因此其佛教文化艺术颇著名。鄂托克旗的百眼窑石窟寺，是西夏壁画艺术的宝库。在额济纳旗黑城、绿城子发现的西夏文佛经、释迦佛塔、彩塑菩萨等，是荒漠中的重大发现。西夏国的范围是草原、西域和中原地区相互联系的多角地带，这里是多种文化相互交流汇合的地区。因此，中原的汉族文化、北方的草原文化以及西方的文化都对党项族有深刻的影响，形成其独具特色的文明。

● 榆林窟第三窟之《普贤变图》

西夏的艺术文化十分多元且丰富，在绘画、书法、雕刻、舞蹈与音乐都有成就。绘画方面，以佛教绘画流传至今，主要呈现在石窟与寺庙壁画等，现今以敦煌莫高窟、安西榆林窟等最为丰富。榆林窟第3窟《普贤变图》是西夏佛教绘画艺术的杰作，图中普贤菩萨安详沈静，雍容华贵，白象四足蹬莲花，背景林木葱郁，气势雄浑。

☑ 宁夏伊斯兰教文化

回族是全民信仰伊斯兰教的民族。因此回族人入居宁夏之初，也就是伊斯兰教传入宁夏的时间。远在唐宋西夏时期，宁夏就有穆斯林的活动，自元代大批穆斯林定居宁夏后，伊斯兰教也就成为宁夏地区的主要宗教。明代伊斯兰教在宁夏有了很大发展，并且开始修建清真寺。清真寺是穆斯林进行宗教活动、料理宗教事务的场所，清真寺的建筑艺术是回族伊斯兰文化的重要组成部分。清真寺在穆斯林活动中占有重要的位置，随着回族迁居入宁夏，宁夏逐渐出现了规模宏大的清真寺，而且受到当朝政府的重视。同心韦州大寺，据说是根据明太祖朱元璋亲赐之图所建。修于明嘉靖十年（1531）的宁夏古清真寺在《嘉靖宁夏新志》就有记载。该书卷首附图，绘有当时银川城"礼拜寺"的图址，其面积相当于城内显赫的贵族宅第"丰林王府"与"真宁王府"之和。

☑ 三关口明长城

三关口明长城位于银川城区40余千米外贺兰山东麓。三关口长城是明嘉靖十年（1531）宁夏佥事齐之鸾耗巨资修筑的。它南起大坝堡，北边三关口，长达80千米。因被风沙填平，明嘉靖十九年（1540），宁夏巡抚杨守礼重新修葺，并增筑三关以北长城。明长城三关口是宁夏与内蒙古阿拉善左旗的交界地，自古以来就是银川城防的咽喉要道，有银（川）巴（彦浩

◉ **三关口明长城遗址**

●中华回乡文化园

位于宁夏银川市永宁县的中华回乡文化园，是由热爱伊斯兰文化的穆斯林与有志之士在各级政府支持下创建的一座地方民族特色文化景区，也是国内唯一一处中国回族文化习俗的陈列展示场所。

特）公路空关而过。在关口处可以看到残断的长城遗址。三关口从外向里设头道卡、二道卡和三道卡，称"三卡关"。山口北侧，长城沿山脊向北延伸，墙体用石块垒砌，现墙体和墩台已残损；而山口南侧，向东南延伸的黄土长城保存较为完好，墙顶两侧筑有女墙。明代的长城，修筑规模很大，修筑技术也发展至顶峰。长城是用砖、石、泥土构筑成的，但它却凝聚着中华民族的智慧、感情和信念。长城的修筑，也体现了中华民族自卫、自守、自我保护的民族心理。

☑ 一百零八塔

在宁夏青铜峡水库西侧的山崖上坐落着一个巨大的塔群，因塔数总计为一百零八座，俗称一百零八塔。据考证，一百零八塔始建于西夏，具体时间不详。塔的单个造型与元代的北京妙应塔极为相似。一百零八塔坐西朝东，背山面水，随山势凿石分阶而建，由上而下，错落有序，塔群林立，呈一、三、五、七、九……奇数排列，构成一个等边三角形的大型塔群，塔群的总体布局别具匠心，风格独特。民间相传，一百零八塔是穆桂英的"点将台""天门阵"，其实它是佛教的纪念塔。因为佛教认为人有108种烦恼，为了去掉人生众多的烦恼，善男信女要戴108颗贯珠，念108遍经。据说，来这里游览的人们，只要拜了塔，就可以消除烦恼，带来吉祥和好运。

一百零八塔

一八零八塔塔群中最上面一座形体较大，为过洞式喇嘛塔，面东壁有龛门。2层～12层残高2.5米～3米，均为实心喇嘛塔。塔座平面有八角形束腰或十字折角形的须弥座，上建塔身，刹顶施相轮伞盖宝珠。塔体分为4种类型：第1层塔身覆钵式，2层～4层为八角鼓腹锥顶状，5层～6层呈葫芦状，7层～12层呈宝瓶状。塔心立竖木，内填土坯外包砖，表层涂以白灰。这种组合塔其形制之独特与塔数之众多为国内罕见。

地貌

　　宁夏地处草原与荒漠、黄土高原与内蒙古高原、外流区与内流区间的过渡地带，自然条件复杂多样，区内差异很大。全区地貌格局主要受地质构造控制，新生代北部地块受挤压沿北北东方向断裂发生拉张，银川平原强烈断陷，两侧的贺兰山地和鄂尔多斯高原相对隆升；南部地块受挤压形成六盘山等一系列弧形山地和断陷盆地。贺兰山、六盘山构成中国南北向巨大地震带的北段，区内地震频繁。南部第四纪更新世黄土堆积广泛。受现代气候影响，从南至北表现出流水地貌向干燥地貌过渡的特征。宁夏全区地形以丘陵为主，占38%；平原次之，占26.8%；山地占15.8%；其余为台地、沙地和水域。地势南高北低，北部有北北东向延伸的贺兰山地、银川平原、灵盐台地，自西向东平行排列。最高的贺兰山与最低的银川平原，高差达2400余米。

🌀**贺兰山东麓风光**

🌀**贺兰山苏峪口国家森林公园**
贺兰山的苏峪口国家森林公园占地面积9300公顷，植被覆盖率达70%，拥有各种野生动植物资源八百余种，是宁夏著名的生态旅游景区。

☑ 贺兰山

贺兰山是宁夏回族自治区和内蒙古自治区的界山，中国西北地区的重要地理界线。位于腾格里沙漠东缘，是中国北方草原与荒原的分水岭。西为阿拉善高原，东为银川平原和鄂尔多斯高原。贺兰山呈北北东走向，延伸200余千米，东西宽约20千米～26千米，形成于1亿多年前的燕山运动时期，喜马拉雅运动时继续升高，为土层很薄的石质山地。中段为山脉主体，山势巍峨雄伟，峰峦重叠，崖谷险峻，山脊海拔2000米～3000米，主峰敖包疙瘩海拔3556米，山势险峻，屏障于银川平原之西，从银川平原望去，山脉宛如奔驰的骏马，蒙古语的"贺兰"即骏马之意。宁夏境内的贺兰山地有林木1.9万公顷，其中乔木林1.4万公顷，森林覆盖率11%，木材蓄积量143万立方米，主要分布于山脉中段。主要土壤类型为山地草甸土、山地灰褐土、山地灰钙土等。山中有高等植物665种，野生动物180余种，包括马鹿、獐、盘羊、金钱豹、兔狲、黑鹳、青羊、石豹、蓝马鸡等珍贵动物。1988年贺兰山自然保护区已被划为国家级自然保护区，区境面积6.1万公顷。贺兰山在中石炭世—早二叠世及侏罗纪前期，海陆不断交替，形成大量煤层，有炼焦用煤、优质无烟煤等，已建成石嘴山等10座现代化矿井。此外，还有磷灰岩、石英砂岩、灰岩、黏土等矿藏。东麓滚钟口一带所产的粘板岩，质地细密，清雅莹润，用它雕刻的贺兰石砚为宁夏名产。

☑ 六盘山

六盘山又称陇山，是中国最年轻的山脉之一。坐落在宁夏回族自治区南端及宁、甘、陕交界地带。山界于陕北高原与陇西黄土高原，为渭河与泾河之分水岭，高峻险峭，六盘古道始通峰顶，故名。大致呈东南—西北走向，突起于黄土高原，向西北延伸240千米，与月亮山、南华山、西华山及黄家洼山、屈吴山断续相连。六盘山海拔一般在2500米以上，最高峰米缸山海拔2942米。东坡陡，西坡缓。喜马拉雅造山运动时褶皱成山，山体主要由白垩纪页岩、砂岩构成。山脊平缓，山峰浑圆，山势巍峨险峻，山路盘旋曲折。

黄河水系的泾河、清水河、葫芦河等发源于其两侧。老龙潭胜迹位于山之东南陲，为泾河之源。六盘山区光热资源较少，年均温仅1℃，降水量达677毫米，是黄土高原的"湿岛"。山区中的主要树种有山杨、桦、辽东栎、华山松等，林下多箭竹及多种灌木。山中野生动植物丰富，仅药用植物就有600余种，脊椎动物约有200种等。在宁夏固原市及隆德、西吉、海原、泾源四县交界处，建有六盘山国家重点自然保护区。

☑ 银川平原

银川平原是中国西北地区的重要商品粮基地。位于贺兰山与鄂尔多斯高原之间，地质构造上为断陷盆地，经黄河及平原湖沼长期淤积而成。由于地

◉六盘山

六盘山上森林茂密，物种丰富。经不完全统计，有高等植物788种，野生动物213种，昆虫905种，鸟类147种。近年来，当地政府注重保护生态环境，使六盘山上的野生物种日渐丰富起来，连绝迹多年的国家一级保护动物金钱豹，也不时在宁夏六盘山野生动物保护区内出现。伴随着六盘山国家森林公园的建立，一些多年来少见的野生动物数量有了明显增加。

势平坦，地层深厚，引水方便，利于自流灌溉。而且银川平原处于温带干旱地区，日照充足，气温日较差大，有利于作物的生长发育和营养物质积累。银川平原虽干旱少雨，但黄河过境水丰富，便于引灌，在2000多年前，中原大批移民与当地少数民族一起，利用黄河水开渠灌田经营农业，这里成为中国大西北开发最早的灌区，素有"塞上江南"之誉。银川平原上还有著名的唐徕渠、汉延渠、秦渠、汉渠等古渠。新中国成立以后，又开辟了多条干渠和支斗渠，尤其是20世纪50年代末建成的青铜峡水利枢纽，使银川平原灌溉面积扩大为20余万公顷。其中银南灌排条件较好，农作物以稻麦为主，是宁夏的高产稳产地区。银北主要作物为小麦、杂粮、甜菜、大豆等，因地面坡降小，地下水位高，土质黏重，排水不畅，土壤盐渍化较严重，但土地广阔，发展生产的潜力很大。银川附近湖沼棋布，为宁夏重要的水产基地。贺兰山山前洪积平原草场辽阔，是宁夏滩羊产区；随着灌溉面积扩大，林木、瓜果、枸杞和畜牧业发展迅速。

⊙银川平原上的向日葵

水系

　　宁夏回族自治区是中国水资源最少的省区，年径流深仅17.3毫米，水资源总量为11.88亿立方米。其中天然地表水资源约9亿立方米，耕地公顷均水量、人均水量均远低于中国黄河流域平均值。除黄河干流外，其他主要河流有清水河、苦水河及泾河、葫芦河的上游等，均属黄河水系。中卫市境西部和盐池县境部分属内流区。

☑ 泾河

　　泾河是渭河第一大支流，发源于宁夏六盘山东麓，全长455千米，河谷较宽，其中平凉—泾川间右岸滩地是泾河最大的川区。泾河流域面积4万多平方千米，河流年输沙量2.8亿吨，是渭河来沙量最多的支流。泾河水系呈树枝状，右岸来自六盘山、千山的河、黑河等支流含沙量较小；左岸来自黄土丘陵和黄土高原区的洪河、蒲河等支流含沙量大。20世纪50年代初期设立西峰水土保持试验站，在南小河沟进行流域综合治理，为流域水土保持起着典范的作用。

☑ 青铜峡水库

青铜峡水库位于黄河上游，以灌溉为主，还兼发展渔业、发电、工业用水等作用。建有青铜峡水利枢纽工程，是宁夏北部石银青电网的重要电力生产基地。水电站利

◎**青铜峡黄河祭坛**

用青铜峡峡谷的有利地形建造而成，坝高42.7米，总库容6亿余立方米。青铜峡枢纽工程的建成结束了青铜峡灌区无坝引水的历史，大大提高了渠道供水保证率，扩大了灌溉面积。

◎**青铜峡水库**

气候

　　宁夏位居内陆，受季风影响较弱，属温带大陆性半湿润—干旱气候，基本特点是干旱少雨，风大沙多，夏少酷暑，冬寒漫长，日照充足，气温年、日较差大。气温由南向北递减，年均温5℃～9℃，气温年较差24℃～33℃，日较差6.8℃～17.2℃，10℃以上活动积温2000℃～3500℃，无霜期103天～162天，年降水量180毫米～680毫米，由南向北递减。山地降水增加显著，如贺兰山迎风坡年降水量约为山下银川市的2倍。降水多集中于6月～9月，且年变率大，故干旱威胁严重。

◉星海湖秋色

自然资源

在地质构造上，宁夏处于昆仑山秦岭地槽褶皱区与中朝准地台的交接地带，能源矿产和非金属矿产成矿条件较好。区内煤炭资源丰富，尤以汝箕沟的无烟煤质量堪称全国之冠。宁夏所产的煤炭大部分销往外省区。自治区内石油、天然气也有一定储量，并已开发。在动植物资源方面，宁夏也占有一定的优势，境内有多种珍贵生物，并且已设立自然保护区。贺兰山自然保护区保护干旱区森林生态系统及青海云杉、蓝马鸡等；六盘山自然保护区保护高原温带森林生态系统及金钱豹等珍贵动物；青铜峡自然保护区保护天鹅等水禽及其栖息环境；中卫市的沙坡头自然保护区保护干旱沙漠植被等。

☑ 骆驼刺

骆驼刺属豆科，半灌木，高30厘米～60厘米。总状花序腋生，花红色或紫红色。花期4月～6月，6月上中旬至8月上旬为盛花期，骆驼刺有花内和花外两种蜜腺，花外蜜腺泌汁凝成糖粒，称为刺糖。骆驼刺主要产于宁夏、新疆、甘肃。生长于海拔150米～1500米的沙荒地、盐渍化低湿地和覆沙戈壁上。

☑ 蓝马鸡

蓝马鸡又叫马鸡、角鸡、松鸡。它的体羽以迎光生辉的蓝灰色

◎蓝马鸡

为主。头侧绯红色，尤为鲜艳夺目。耳羽镶白色，突出在颈项顶上似角状，灰蓝、红、白三色相映，十分漂亮。中央尾羽特长而且翘起，羽支披散下垂如马尾，它的外侧尾羽基部白色闪光，向下飞翔时，尾羽时而披散，时而收拢，飞飞停停，美不胜收。蓝马鸡主要分布于中国宁夏、青海、甘肃和四川，通常栖息于海拔2100米~3700米高山地区的茂密云杉林、橡树林或桧柏林中。主要吃植物性食物，也食昆虫。4月~6月间繁殖，此期间成对生活。将卵产于荫蔽树丛下，每窝产卵6枚~12枚。孵卵期26天~27天。

☑ 岩羊

岩羊又叫崖羊、石羊，外貌兼有绵羊和山羊的特征。岩羊全身青褐色，冬季体毛比夏季长而色淡。岩羊喜群居，主要以青草和灌木枝叶为食。岩羊主要分布在中国的青海、宁夏、甘肃等地区。它们主要栖息在高山裸岩地带，体色与裸岩的岩石极其相似，这是它们自我保护的一个重要手段。

○岩羊

经济

　　宁夏自然条件复杂多样，地区差异显著。区内灌溉农业发达，历史悠久，向为中国西北重要农业区。畜牧业独具特色，是国内裘皮羊重要产区，在国际养羊业中占有突出地位。宁夏地下矿产资源较丰富，再加上迅速发展起来的交通运输，使区内工业得到相当发展，并已先后建成了包括煤炭、电力、冶金、机械、医药、化工、建材、纺织、化纤、塑料、日用硅酸盐、制糖、电子、仪表、皮革、造纸、卷烟、食品等行业体系，生产近百种列入国家计划的重点工业产品，而且拥有一批列入国家重点的大中型企业。

☑ 农业

　　宁夏农业以种植业为主体，耕地面积达110万公顷，约占宁夏回族自治区土地总面积的16.56%。草地面积244.3万公顷，占自治区土地总面积的

◎宁夏枸杞田

红宝枸杞是宁夏回族自治区的一种土特产。枸杞色泽鲜艳，如红玛瑙挂树，晶莹剔透。因此有"红宝"之美誉。它皮薄、肉厚、籽少、味甜，是明目、滋肝、补肾的佳品，具有抗癌保肝的功能。据科学分析：枸杞子一般含糖22%～42%，含蛋白质13%～21%，粗脂肪8%～14%，还含有氨基酸、色素、维生素A、B、C、钙、磷铁等人体所需要的各种营养成分。枸杞既是优良的中药材，又是强身的滋补剂。唐代诗人刘禹锡有诗赞曰："僧房药树依寒井，井有香泉树有灵。翠黛叶生笼石甃，殷红子熟照铜瓶。枝繁本是仙人杖，根老新成瑞犬形。上品功能甘露味，还知一勺可延龄。"

●宁夏农田

黄河流经宁夏的部分地势平坦，水量稳定，无暴涨之忧，因此当地居民也无须修筑堤坝防涝，而且只需在上游挖渠，即可引黄河水自流灌溉，旱涝保收。

36.8%。宜林地40万公顷，适宜发展水产的低洼地、湖泊约5万公顷。宁夏素有"塞上江南鱼米之乡"的美誉。可利用土地资源丰富，光热匹配良好，中北部地区有得天独厚的引黄灌溉系统，土壤肥沃、沟渠成网、开垦历史悠久，农业生产条件集约化程度均居中国前列，是中国西北地区著名的商品粮基地之一。粮食作物占作物总播种面积的80.1%，以一年一熟的旱作轮作制为主，灌区还有二年三熟、三年五熟的水旱或旱作轮作。畜牧业以养羊业居重要地位，盛产裘皮，尤以产于贺兰山东麓和灵盐台地的滩羊皮与中卫山羊皮享有盛誉。

○沙坡头边上的包兰铁路
沙坡头生态保护，麦草方格治沙经验被广泛应用于全世界。保证了包兰铁路的建设。

☑ 工业

宁夏能源机械、冶金、化工、建材、轻纺、食品等工业具有一定规模，并有制革、地毯等传统手工业。目前已形成银川、石嘴山、青铜峡等工业中心，其工业产值约占自治区工业总产值的70%以上。其中能源工业是宁夏重要的工业部门，贺兰山矿区是宁夏最大煤炭基地，其中石炭井矿区为西北地区已开发的冶金用焦煤基地。纺织工业有毛纺织、棉纺织印染、合成纤维纺织和针织等部门。目前已有多种产品，如皮毛、枸杞等远销国外。

☑ 交通

新中国成立以前，宁夏交通闭塞，自包兰铁路建成通车后，宁夏已成为华北与西北间的交通枢纽，此外还开辟了通往北京、西安等城市的航空线，形成了以银川为中心，以包兰铁路为骨干，公路四通八达的交通运输网。但是自治区内的水运不够发达，通航里程较短，水运主要运输煤、粮和建筑材料等物资。随着石油的逐步开采，还发展了一些输油管道运输。

旅游地理

　　宁夏境内有战国、隋、明长城与宋代的壕堑。党项族曾在宁夏一带建立西夏政权，兴建许多工程，至今仍有不少遗存，如离宫遗址、西夏王陵、承天寺塔、一百零八塔等，其他则有海宝塔、须弥山石窟、银川南开清真寺等。在自然景观上，宁夏也同样毫不逊色，贺兰山远望形若骏马，有滚钟口等避暑胜地。六盘山苍茫逶迤，在这里更可以追思成吉思汗进军西夏和工农红军长征的往事。黄河边的古老水车，草原上雪白的羊群，会使人悠悠陶然，而乘羊皮筏黄河漂流，骑骆驼在沙漠跋涉，从鸣沙上滑下等，都会令人激动、振奋。

☑ 沙坡头

　　沙坡头古名沙陀、沙山。著名的自然保护区和风景旅游区，号称沙海明珠。以地处腾格里沙漠东南缘得名。位于中卫市城西16千米处，属甘塘镇。南临黄河，为连绵起伏的新月形沙丘组成，高出黄河水面200多米。有雄浑

◎沙坡头

作为草原向荒漠的过渡地带，沙坡头集大漠、黄河、高山、绿洲为一处，面积1.3万余公顷，既具西北风光之雄奇，又兼江南景色之秀美。

的大漠风光和"沙坡鸣钟"奇观，可供游人滑沙，乘"浑脱"（羊皮筏子）横渡黄河，骑骆驼漫步沙山。沙丘下、黄河畔的园林利用沙丘泉水灌溉，古树苍郁，风景绝佳，明代以前称番王园。可远眺上游气势磅礴的黑山峡，下望白浪翻卷的美利渠迎水（导水长堤，俗称石坝、石龙口）。为保障穿越沙漠的包兰铁路安全畅通，科技人员进行了控制流沙、改造沙漠的成功试验，创造了世界治沙史上一个成功范例，成为联合国沙漠治理的重要培训基地。建有中国科学院兰州沙漠研究所沙坡头科学研究站，铁道部中卫固沙林场。

☑ 滚钟口

滚钟口位于距银川市区25千米的贺兰山口。这里三面环山，山口有一座孤耸的小山峰，恰似一口古钟中间悬挂的钟锤，名为钟铃山，山口也因此而叫滚钟口。从西夏起这里就是有名的游览胜地。区内山峦叠翠，岩峻石峭，奇峰林立，怪石奇特多样，是典型的塞外自然景观。形似笔架的山峰，高耸于景区南侧，巍峨壮丽，雄伟浑厚。山上有"贺兰庙""老君堂""关帝庙""禹王台""晚翠阁""望海亭""钟铃亭"等楼台亭阁，另外还有也门传教士建造的清真寺和埋葬他的"拱北"。山口内有笔架山、青羊跳涧等自然景观。朝晖夕霞，逢"吉时"登峰可观"贺兰佛光"，堪与"峨眉宝光"争妍。有时6月山峰依然白雪盖顶，晴空下，白雪蓝天，一派塞外风光。"贺山晴雪"是宁夏八景之首。夏日，这里林木葱郁，绿草如茵，潺潺清泉，引人至胜。

☑ 火石寨

火石寨位于西吉县西北10千米处，园区面积97.95平方千米，这里丹霞地貌景观集中连片分布，岩层垂直节理保留完整，墙状山体直立陡峭、柱状山体拔地而起，形成了壮观的丹崖、丹峰地貌，在黄土高原地区极为独特。地质学者们认为，与国内众多丹霞地貌比较，火石寨的海拔高度为2300米左右，相对高差约300米，是中国迄今发现的海拔最高的丹霞地貌群，也是中国北方发育最为典型、保存自然完好的丹霞地貌群，具有不可多得的研究和观赏价值。火石寨拥有令人神迷的自然景观，每当春夏时节，满山遍野花草丛生，色彩斑斓，蜂恋蝶舞，生机盎然。在火石寨方圆百里之内，分布着许多大大小小的兀立山峰，其中著名的有扫竹岭，因其山岭上生长做扫帚的毛竹而得名，亦称"云台山""西武当"。海拔已有2400米，犹如长矛刺天，若攀上峰顶，云雾飘然脚下，四面绝壁，唯东北角有人凿石阶可攀。云台山逶迤十多千米，形成峡谷（称情人谷），谷内林木葱茏，流水清澈，特别是奇特高耸的石山给人以"桂林山水"的感觉，为北方山水增添了几分南国姿色。

☑ 须弥山石窟

须弥山为梵文音译，意为"宝山"，位于六盘山脉北端，在宁夏固原市城西北50千米处，海拔1700多米。这里层峦叠嶂，岩石嶙峋，曲径通幽。北朝、隋、唐以至宋、明各代，在山的东麓开凿石窟100多处，总称为"须弥山石

●须弥山石窟

须弥山第5窟是一座高达20.6米的弥勒大坐佛。它高坐于唐代大中三年（849）开凿的一个马蹄形石窟内，其高度比云冈石窟中最大的十九窟坐佛和龙门石窟的奉先寺卢舍那佛还高，是全国最大的造像之一。走近观察这座大佛，只见那佛的耳朵有两人高，眼窝直径1米多。

窟"。石窟现有140多个洞窟，保存完整的有22个，分布在大佛楼、小孙宫、圆光寺、相国寺、桃花洞5处，蜿蜒2千米。在各朝的造像中北周造像最为精美，隋代的造像风格淳朴，唐代造像面形丰满，表情安详。最高大的一座释迦坐像是唐代大中三年（849）前雕刻的，高达26米。此外还有宋、西夏、金、明等各个时代的多处题记、碑刻，是中国石窟艺术的重要遗址之一。

☑ 拜寺口双塔

拜寺口双塔位于贺兰山东麓的贺兰县金山乡，三面环山的拜寺口东西两侧。这是一对砖砌佛塔，两塔之间仅隔100余米，建造在山口的向阳坡上。

山口东侧的塔称为东塔，是一座正八角形建筑，塔基每边长2.5米，共13层，通高45米。第一层塔身较高，从第二层开始，檐与檐之间的塔身高度逐步缩小距离，越往上越逐层加密。塔刹的刹座是

拜寺口双塔

1986年，拜寺口双塔被列为第三批全国重点文物保护单位。2005年，它作为"宁夏贺兰山——西夏王陵风景名胜区"的重要组成部分，被列入国家《中国世界文化遗产预备名单》。

一座莲花瓣向上仰起莲花形，塔刹由几层相
轮组成。每层塔檐下，各面都有各种兽头的
浮雕，兽头怒目相视，龇牙咧嘴，栩栩如
生。塔的南门内，有一条券道，券道宽约
50厘米，高2米，直通入塔室。塔室呈
圆形，内设木板楼梯，可以登上塔顶
层，在塔顶层可以远眺"塞上江南"
的大地胜景。

☑ 海宝塔

　　海宝塔又名黑宝塔、赫宝塔、
赫连塔。在银川市北郊宝塔寺内。
宝塔寺坐西面东，主要建筑有山
门（已毁）、接引佛殿、大佛
殿、韦陀殿等。海宝塔建于大佛

塔和韦陀殿之间，建造年代无考，相传公元5世纪初，大夏国王赫连勃勃重修。全塔由台基、塔座、塔身、塔刹组成，通高53.9米。塔基呈方形，边长19.2米，高5.7米，正面有台阶可上。塔座立于台基中央，宽14.4米，高4.2米，正中辟券门，内设暗道，可登塔座顶面。塔身建在台座中央，砖砌楼阁式建筑，塔楼九层，每层12龛，共108龛，各层四角系有铁铎，遇风作响，悠扬悦耳。登塔远望，东面黄河似蟒，西面贺兰山如狮，一派苍茫阔远的塞外风光。

◎ **西夏王陵**

☑ 中卫高庙

中卫高庙始建于明代正统年间。初建规模较小，经历代增建重修，至清代已成为一处规模较大的古代建筑群。中卫高庙是一座三教合一的寺庙。高庙坐北朝南，主要建筑是保安寺的山门和大雄宝殿，殿后是高庙的砖雕牌坊、南天门、中楼，最后是高达三层的五岳、玉皇、圣母殿。这些主要建筑都在一条中轴线上，层层相应，步步增高，气势雄伟。在主体建筑两侧，有钟楼、鼓楼、文楼、灵宫、地藏等各式配殿。在面积不大的高台上，建有近百间九脊歇山、四角攒尖、十

字歇山、将军盔顶等各种类型的庙宇。在主体建筑和辅助建筑之间，多用飞桥相连接，布局紧凑。庙内还有"鹤翔凤鸣""麟吐玉书"等许多精美的墙壁砖雕。纵观全貌，建筑群重楼叠阁，亭廊相连，檐牙相啄，翼角高翘，构成了迂回曲折的内外空间，全面反映出宁夏古建筑的风貌。

☑ 西夏王陵

西夏王朝的皇家陵寝，位于银川市以西约30千米贺兰山东麓方圆53平方千米的陵区内。是中国现存规模最大、地面遗址最完整的帝王陵园之一。初建时每个陵园均有地下陵寝、墓室、地面建筑和园林，独立占地都在10万平方米左右，形制与布局大体相同。从1988年发掘起，这片"神秘的奇迹"，就被国务院公布为全国重点文物保护单位、国家重点风景名胜区。西夏王陵内存有帝陵9座，分别为裕陵、嘉陵、泰陵、安陵、献陵、显陵、寿陵、庄陵、康陵。陵墓坐北朝南，平地起建。从其布局上可见，西夏王陵不仅吸收了秦汉以来，特别是唐宋皇陵之所长，又受到佛教建筑的影响，构成了中国陵园建筑中别具一格的形式。

中国国家地理百科全书